河出文庫

世界怪談名作集
北極星号の船長ほか九篇

岡本綺堂 編訳

河出書房新社

世界怪談名作集　北極星号の船長ほか九篇 ◉ 目次

世界怪談名作集　信号手・貸家ほか五篇　◉　目次

世界怪談名作集

北極星号の船長ほか九篇

北極星号の船長

医学生ジョン・マリスターレーの奇異なる日記よりの抜萃

ドイル

ドイル Arthur Conan Doyle

一八五九年五月二十二日、スコットランドのエジンバラに生まる。シャーロック・ホームズをもって有名の作家たるは周知の事実なり。（一九三〇年没）

一

九月十一日、北緯八十一度四十分、東経二度。依然、われわれは壮大な氷原の真っただ中に停船す。われわれの北方に拡がっている一氷原に、われわれは氷錨(アイス・アンカー)をおろしているのであるが、この氷原たるや、実にわが英国の一郡にも相当するほどのものである。左右一面に氷の面が地平の遙か彼方(かなた)まで果てしなく展(ひろ)がっている。けさ運転士は南方に氷塊の徴候のあることを報じた。もしこれがわれわれの帰還を妨害するに十分なる厚さを形成するならば、われわれは全く危険の地位にあるというべきで、聞くところによれば、糧食は既にやや不足を来たしているというのである。時あたかも季節(シーズン)の終わりで、長い夜が再びあらわれ始めて来た。けさ、前檣下桁(フォア・ヤード)の真上にまたまた星を見た。これは五月の初め以来最初のことである。

船員ちゅうには著（いちじ）るしく不満の色がみなぎっている。かれらの多くは鯡（にしん）の漁猟期に間に合うように帰国したいと、しきりに望んでいるのである。この漁猟期には、スコットランドの海岸地方では、労働賃金が高率を唱えるを例とする。しかし、かれらはその不満をただ不機嫌な容貌（ようぼう）と、恐ろしい見幕（けんまく）とで表わすばかりである。

その日の午後になって、かれら船員は代理人を出して船長に苦情を申し立てようとしているということを二等運転士から聞いたが、船長がそれを受け容れるかどうかは甚（はなは）だ疑わしい。彼は非常に獰猛（どうもう）な性質であり、また彼の権限を犯すようなことに対しては、すこぶる敏感をもっているからである。夕食のおわったあとで、わたしはこの問題について船長に何か少し言ってみようと思っている。従来彼は他の船員に対していきどおっているような時でも、わたしにだけはいつも寛大な態度を取っていた。

スピッツバーゲンの北西隅にあるアムステルダム島は、わが右舷のかたに当たって見える――島は火山岩の凹凸（おうとつ）線をなし、氷河を現出している白い地層線と交叉（こうさ）しているのである。一直線にしても優に九百マイルはある。グリーンランド南部のデンマーク移住地より近い処には、おそらくいかなる人類も現在棲息していないことを考えると、実に不思議な心持ちがする。およそ船長たるものは、その船をかかる境遇に瀕（ひん）せしめたる場合にあっては、みずから大いなる責任を負うべきである。いかなる捕鯨船もいまだかつてこの時期にあって、かかる緯度の処にとどまったことはなかった。

午後九時、私はとうとうクレーグ船長に打ち明けた。その結果はとうてい満足にはゆかなかったが、船長は私の言わんとしたことを、非常に静かに、かつ熱心に聴いてくれた。わたしが語り終わると、彼は私がしばしば目撃した、かの鉄のような決断の色を顔に浮かべて、数分間は狭い船室をあちらこちらと足早に歩きまわった。最初わたしは彼をほんとうに怒らせたかと思ったが、彼は怒りをおさえて再び腰をおろして、ほとんど追従に近い様子でわたしの腕をとった。その狂暴な黒い眼は著るしく私を驚かしたが、その眼のうちにはまた深いやさしさも籠っていた。

「おい、ドクトル」と、彼は言い出した。「わしは実際、いつも君を連れて来るのが気の毒でならない。ダンディ埠頭にはもうおそらく帰れぬだろうなあ。今度という今度は、いよいよ一か八かだ。われわれの北の方には鯨がいたのだ。わしは檣頭から汐を噴いている鯨のやつらをちゃんと見たのだから、君がいかに頭を横にふっても、そりゃあ駄目だ」

わたしは別にそれを疑うような様子は少しも見せなかったつもりであったが、彼は突然に怒りが勃発したかのように、こう叫んだ。

「わしも男だ。二十二秒間に二十二頭の鯨！　しかも鬚の十フィート以上もある大きい奴をな！（捕鯨者仲間では鯨を体の長さで計らず、その鬚の長さで計るのである）

さて、ドクトル。君はわしとわしの運命とのあいだに多寡(たか)が氷ぐらいの邪魔物があるからといって、わしがこの国を去られると思うかね。もし、あしたにも北風が吹こうものなら、われわれは獲物を満載して結氷前に帰るのだ。が、南風(みなみ)が吹いたら……そうさ、船員はみんな命を賭けなければならんと思うよ。もっとも、そんなことは、わしにはたいしたことでもないのだ。なぜと言えば、わしにとってはこの世界よりも、あの世のほうが余計に縁がありそうなのだからね。だが、正直のところ君にはお気の毒だ。わしはこの前われわれと一緒に来たアンガス・タイト老人を連れて来ればよかった。あれならたとい死んでも憎まれはしないからな。ところで、君は……君は、いつか結婚したと言ったっけねえ」

「そうです」と、わたしは時計の鎖についている小盒(ロケット)のバネをぱくりとあけて、フロラの小さい写真を差し出して見せた。

「畜生！」と、彼は椅子から飛びあがって、憤怒の余りに顎鬚(あごひげ)を逆立てて叫んだ。「わしにとって、君の幸福がなんだ。わしの眼の前で、君が恋(れん)れんとしているようなそんな写真の女に、わしがなんの係り合いがあるものか」

彼は怒りのあまりに、今にもわたしを撲(う)ち倒しはしまいかとさえ思った。しかも彼はもう一度罵(ののし)ったあとに、船長室のドアを荒あらしく突きあけて甲板(デッキ)へ飛び出してしまった。

取り残された私は、彼の途方もない乱暴にいささか驚かされた。彼がわたしに対して礼儀を守らず、また親切でなかったのは、この時がまったく初めてのことであった。私はこの文を書きながらも、船長が非常に興奮して、頭の上をあっちこっちと歩きまわっているのを聞くことが出来る。

　わたしはこの船長の人物描写をしてみたいと思うが、わたし自身の心のうちの観念が精(せい)ぜいよく考えて見ても、すでに曖昧模糊(あいまいもこ)たるものであるから、そんなことを書こうなどというのは烏滸(おこ)がましき業(わざ)だと思う。私はこれまで何遍も、船長の人物を説明すべき鍵(かぎ)を握ったと思ったが、いつも彼はさらに新奇なる性格をあらわして私の結論をくつがえし、わたしを失望させるだけであった。おそらく私以外には、誰しもこんな文句に眼をとめようとする者はないであろう。しかも私は一つの心理学的研究として、このニコラス・クレーグ船長の記録を書き残すつもりである。

　およそ人の外部に表われたところは、幾分かその内の精神を示すものである。船長は丈(たけ)高く、均整のよく取れた体格で、色のあさ黒い美丈夫である。そうして、不思議に手足を痙攣的に動かす癖がある。これは神経質のせいか、あるいは単に彼のありあまる精力の結果からかもしれぬ。口もとや顔全体の様子はいかにも男らしく決断的であるが、その眼はまがうべくもなしに、その顔の特徴をなしている。二つの眼は漆黒(しっこく)の榛(はしばみ)のようで、鋭い輝きを放っているのは、大胆を示すものだと私は時どきに思うのであるが、それに恐怖の情の著るしく含まれたように、何か別種のものが奇妙にまじっているのであった。大抵の場合には大胆の色がいつも優勢を占めているが、彼が瞑想にふけっているような場合はもちろん、時どきに恐怖の色が深くひろがって、ついにはその容貌全体に新しい性格を生ずるに至るのである。彼はまったく安眠することが出来ない。そうして、夜なかにも彼が何か呶鳴(どな)っているのをよく聞くことがある。しかし船長室はわたしの船室から少し離れているので、彼の言うことははっきりとは分からなかった。

まずこれが彼の性格の一面で、また最も忌(いや)な点である。私がこれを観察したのも、畢竟(ひっきょう)は現在のごとく、彼とわたしとが日(にち)にち極めて密接の間柄にあったからにほかならない。もしそんな密接な関係が私になかったならば、彼は実に愉快な僚友であり、博識でおもしろく、これまで海上生活をした者としては、まことに立派なる海員の一人である。わたしはかの四月のはじめに、解氷のなかで大風(ゲール)に襲われた時、船をあやつった彼の手腕を容易に忘れ得ないであろう。電光のひらめきと風のうなりとの真っ最中に、ブリッジを前後に歩き廻っていたその夜の彼のような、あんな快活な、むしろ愉快そうに嬉嬉(きき)としていたところの彼を、わたしはかつて見たことがない。彼はしばしば私に告げて、死を想像することはむしろ愉快なことだ、もっとも、これは若い者たちに語るのはあまり芳(かん)ばしくないことではあるが——と言っている。

彼は髪も髭もすでに幾分か胡麻塩となっているが、実際はまだ三十を幾つも出ているはずはない。思うにこれは、何かある大きな悲しみが彼をおそって、その全生涯を枯らしてしまったのに相違ない。おそらく私もまた、もし万一わがフロラを失うようなことでもあったら、全くこれと同じ状態におちいることであろう。私は、これが彼女の身の上に関することでなかったなら、あしたに風が北から吹こうが、南から吹こうが、そんなことはちっとも構わないと思う。

それ、船長が明かり窓を降りて来るのが聞こえるぞ。それから自分の部屋にはいって錠をかけたな。これはまさしく、彼の心がまだ解けない証拠なのだ。それでは、どれ、ペピス爺さんがいつも口癖に言うように、寝るとしようかな。蠟燭ももう燃え倒れようとしている。それに給仕も寝てしまったから、もう一本蠟燭にありつく望みもないからな——。

二

九月十二日、静穏なる好天気。船は依然おなじ位置に在り。すべて風は南西より吹く。但し極めて微弱なり。船長は機嫌を直して、朝食の前に私にむかって昨日の失礼を詫びた。——しかし彼は今なお少しく放心の態である。その眼にはかの粗暴の色が残っている。これはスコットランドでは「死（デス）」を意味するものである。――少なくともわが機関長は私にむかってそう語った。機関長はわが船員中のケルト人のあいだには、前兆を予言する人として相当の声価を有しているのである。

　冷静な、実際的なこの人種に対して、迷信がかくのごとき勢力を有していたのは、実に不思議である。もし私がみずからそれを観たのでなかったらば、その迷信が非常に拡がっていることを到底（とうてい）信じ得なかったであろう。今度の航海で、迷信はまったく流行してしまった。しまいには私もまた、土曜日に許されるグロッグ酒と適量の鎮静薬と、神経強壮剤とをあわせ用いようかと、心が傾いてくるのを覚えてきた。迷信のまず最初の徴候はこうであった――。

　シェットランドを去って間もなく舵輪（ホイール）にいた水夫たちが、何物かが船を追いかけて、しかも追いつくことが出来ないかのように、船のあとに哀れな叫びと金切り声をあげているのを聞いたと、しばしば繰り返して話したのがそもそも始まりであった。

　この話はその航海が終わるまでつづいた。そうして、海豹（あざらし）漁猟開始期の暗い夜など、水夫らに輪番（りんばん）をさせるには非常に骨が折れたのであった。疑いもなく、水夫らの聞いたのは、舵鎖（ラダー・チェイン）のきしる音か、あるいは通りすがりの海鳥の鳴き声であったろう。わたしはその音を聞くために、いくたびか寝床から連れて行かれたが、なんら不自然なものを聞き分けることは出来なかった。しかし水夫らは、ばかばかしい程にそれを信じていて、とうてい議論の余地がないのであった。わたしはかつてこのことを船長に話したところ、彼もまた非常にまじめにこの問題をとったには、私もすくなからず驚かされた。そうして、彼は実際わたしの言ったことについて、著るしく心を掻き乱されたようであった。わたしは、彼が少なくともかかる妄想に対しては超然としているだろうと、当然考えていたからである。

迷信という問題に就いて、かくのごとく論究した結果、わたしは二等運転士のメースン氏がゆうべ幽霊を見たということ――否、少なくとも彼自身は見たと言っている事実を知った。何ヵ月もの間、言いふるした、熊とか鯨とかいう、いつも変わらぬ極まり文句のあとで、なにか新らしい会話の種があるのは、まったく気分を新たにするものである。メースンは、この船は何かに取り憑かれているのだから、もし、どこかほかに行くところさえあれば、一日もこの船などにとどまってはいないのだが、と言っている。

実際、あの奴さん、ほんとうに怖気がついているのである。そこで、私は今朝あいつを落ち着かせるために、クロラルと臭素カリを少々服ませてやった。わたしが彼にむかって、おととい の晩、君は特別の望遠鏡を持っていたのだなと冷やかしてやると、奴さんすっかり憤慨していたようであった。そこで、わたしは彼をなだめるつもりで、出来るだけまじめな顔をして、彼の話すところを聴いてやらなければならなかった。彼はその話をまっこうから事実として、得とくとして物語ったのであった。

彼の曰く——

「僕は夜半直の四点時鐘ごろ（当直時間は四時間ずつにして、ベルは三十分毎に一つずつ増加して打つのである。よってこれは四点なればあたかも中時間である）船橋にいた。夜はまさに真の闇であった。空には何か月の欠けでもあったらしいが、雲がこれを吹きかすめて、遙かの船からははっきりと見ることが出来なかった。あたかもその時、魚銛発射手のムレアドが船首から船尾へやって来て、右舷船首にあたって奇妙な声がすると報告した。僕は前甲板へ行って、彼と二人で耳をそろえてその声をきくと、ある時は泣き叫ぶ子供のように、またある時は心傷める小娘のようにも聞こえる。僕はこの地方に十七年も来ていたが、いまだかつて海豹が老幼にかかわらず、そんな鳴き声をするのを聞いたためしはない。われわれが船首にたたずんでいると、月の光りが雲間を洩れて来て、二人はさっき泣き声を聞いた方向に、なにか白いものが氷原を横切って動いているのを見た。それはすぐに見えなくなったが、再び左舷にあらわれて、氷上に投げた影のように、はっきりとそれを認めることが出来た。

僕はひとりの水夫に命じて、船尾へ鉄砲を取りにやった。そうして、僕はムレアドと一緒に浮氷へ降りて行った。おそらくそれは熊の奴だろうと思ったのである。われわれが氷の上に降りたときに、僕はムレアドを見失ってしまったが、それでも声のする方へすすんで行った。おそらく一マイル以上も、僕はその声を追って行ったであろう。そうして、氷丘のまわりを走って、いかにも僕を待っているかのように立っている、その頂きへまっすぐに登って、その上から見おろしたが、かの白い形をしたものはなんであったか、一向にわからない。とにかくに熊ではなかった。それは丈が高く、白く、まっすぐなものであった。もしそれが男でも、女でもなかったとしたらば、きっと何かもっと悪いものに違いないことを保証する。僕は怖くなって、一生懸命に船の方へ走って来て、船に乗り込んでようやくほっとした次第である。僕は乗船中、自己の義務を果たすべき条款に署名した以上、この船にとどまってはいるが、日没後はもう二度と氷の上へはけっして行かないぞ」

これがすなわち彼の物語で、わたしは出来るかぎり彼の言葉をそのままに記述したのである。

彼は極力否定しているが、わたしの想像するところでは、彼の見たのは若い熊が後脚で立っていた、その姿に相違あるまい。そんな格好は、熊が何か物に驚いたりした時に、いつもよくやることである。覚束ない光りの中で、それが人間の形に見えたのであろう。まして既に神経を多少悩ましている人においてをやである。とにかく、それが何であろうとも、こんなことが起こったということは一種の不幸で、それが多数の船員らに非常に不快な、おもしろからぬ結果をもたらしたからである。

かれらは以前よりも一層むずかしい顔をし、不満の色がいよいよ露骨になって来た。鯡猟に行かれないのと、かれらのいわゆる物に憑かれた船にとどめられているのと、この二重の苦情がかれらを駆って無鉄砲な行為をなさしめるかもしれない。船員ちゅうの最年長者であり、また最も着実な、あの魚銛発射手でさえも、みんなの騒ぎに加わっているのである。

この迷信騒ぎの馬鹿らしい発生を除いては、物事はむしろ愉快に見えているのである。われわれの南方に出来ていた浮氷は一部溶け去って、海潮はグリーンランドとスピッツバーゲンの間を走る湾流の一支流にわれらの船は在るのだと、わたしを信ぜしめるほどに暖かになって来た。船の周囲には、たくさんの小海蝦と共に、無数の小さな海月やうみうしなどが集まって来ているので、鯨のみえるという見込みはもう十分である。果してその通り、夕食の頃に汐を噴いているのを一頭見かけたが、あんな地位にあっては、船でその跡を追いかけることは不可能であった。

九月十三日。ブリッジの上で、一等運転士ミルン氏と興味ある会話を試みた。

わが船長は水夫らには大いなる謎である。私にもそうであったが、船主にさえもそうであるらしい。ミルン氏の言うには、航海が終わって、給金済みの手切れになると、クレーグ船長はどこへか行ってしまって、そのまま姿を見せない。再び季節（シーズン）が近づくと、彼はふらりと会社の事務所へ静かにはいって来て、自分の必要があるかどうかを訊（なず）ねるのである。それまではけっしてその姿を見ることは出来ない。彼はダンディには朋輩を持たず、だれ一人としてその生い立ちを知っている者もない。船長として彼の地位は、まったく海員としての彼の手腕と、その勇気や沈着などに対する名声とによっているのである。そうして、その名声も彼が個個の指揮権を託される前に、すでに運転士としての技倆によって獲得したのであった。彼はスコットランド人ではなく、そのスコットランド風の名は仮名であるというのが、みんなの一致した意見のようである。

　ミルン氏はまたこう考えている——船長という職は彼がみずから選み得るなかで最も危険な職業であるという理由によって、単に捕鯨に身をゆだねて来たのであって、彼はあらゆる方法で死を求めているのであると。ミルン氏はまた、それに就いて数個の例を挙げている。そのうちの一つは、もしそれが果たして事実とすれば、むしろ不思議千万である。ある時、船長は猟のシーズンが来ても、例の事務所に姿を見せなかったので、これに代る者を物色せねばならないことになった。それはあたかも最近の露土（ろど）戦争の始まっている時であった。ところが、その翌年の春、船長が再びその事務所へ戻って来た時には、彼の横頸には皺だらけの傷が出来ていた。彼はいつもこれを襟巻で隠そう隠そうと努めていた。彼は戦争に従事していたのであろうというミルンの推測が、果たして真実なりや否やということは、私にも断言出来ないが、いずれにもせよ、これは確かに不思議なる暗合といわなければならなかった。

風は東寄りの方向に吹きまわしてはいるが、依然ほんの微風である。思うに、氷はきのうよりも密なるべし。見渡すかぎり白皚皚、まれに見る氷の裂け目か、氷丘の黒い影のほかには、一点のさえぎるものなき一大氷原である。遙か南方に碧い海の狭い通路がみえる。それがわれわれの逃がれ出ることの出来る唯一の道であるが、それさえ日毎に結氷しつつあるのである。

船長はみずから重大な責任を感じている。聞けば、馬鈴薯のタンクはもう終わりとなり、ビスケットさえ不足を告げているそうである。しかし船長は相変わらず無感覚な顔をして、望遠鏡で地平線を見渡しながら、一日の大部分を檣の上の見張り所に暮らしている。彼の態度は非常に変わりやすく、彼はわたしと一緒になるのをみずから避けているらしい。といって、何も先夜示したような乱暴を再びしたわけではない。

三

午後七時三十分。熟慮の結果、ようやくに得たる私の意見は、われわれは狂人に支配されているということである。この以外のものでは、クレーグ船長の非常な斑気（むらき）を説明することは不可能である。わたしがこの航海日誌を付けてきたのはまことに幸いである。われわれが彼をどんな種類の監禁のもとに置くにしても――この手段は最後のものとして、私は承認するのみであるが――われわれの行為を正当なるものと証拠だてる場合には、この日誌がどれほど役に立つことになるかもしれないからである。まったく不思議なことではあるが、精神錯乱を暗示したのは船長自身であって、その怪しい行為の原因が単なる特異の風変わりとは認められないのであった。

彼は約一時間ばかり前に、ブリッジの上に立っていた。そうして、私が後甲板をあちらこちらと歩いている間、絶えず例の望遠鏡でじっと立って眺めていた。船員の多くは下で茶を喫（の）んでいた。というのは、近ごろ見張りが規則正しく続けられなくなってきたからである。歩くに疲れて、わたしは舷檣に倚（よ）りかかりながら、周囲にひろがっている大氷原に、今しも沈もうとしている太陽の投げる澄明（ちょうめい）な光りを心から感歎して眺めていると、その夢幻の状態から、わたしは間近（まぢか）にきこえる嗄（しゃが）れ声のために突然われにかえった。それと同時に、船長があたりをきょろきょろ見廻しながら降りて来て、わたしのすぐ側に立っているのを見いだした。

彼は恐れと驚きと、何か喜びの近づいて来るらしい感情とが相争っているような表情で、氷の上を見まもっていた。寒いにもかかわらず、大きい汗のしずくがその額に流れていて、彼が恐ろしく興奮していることが明らかにわかった。その手足は癲癇の発作を今にも起こそうとしている人のように、ぴりぴりと引きつってきた。その口のあたりの相貌はみにくくゆがんで、固くなっていた。

「見たまえ！」と、彼はわたしの手首をとらえて、あえぎながら言った。

しかし、眼は依然として遠い氷の上にそそぎ、頭は幻影の野を横切って動く何物かを追うかのように、おもむろに地平のあなたに向かって動いていた。

「見たまえ！　それ、あすこに人が！　氷丘のあいだに！　今、あっちのうしろから出て来る！　君、あの女が見えるだろう。いや、当然見えなければならん！　おお、まだあすこに！　わしから逃げて行く。きっと逃げているのだ……ああ、行ってしまった！」

彼はこの最後の一句を、鬱結せる苦痛のつぶやきをもって発したのである。

これはおそらく永久にわたしの記憶から消え去ることはないであろう。彼は縄梯子に取りすがって、舷檣の頂きに登ろうと努めた。それはあたかも去りゆくものの最後の一瞥を得んと望むかのように――。

しかし、彼の力は足らず、集会室の明かり窓によろめき退って来て、そこに彼はあえぎ疲れて倚りかかってしまった。その顔色は蒼白となったので、私はきっと彼が意識を失うものと思って、時を移さずに彼を伴って明かり窓を降りて、船室のソファの上にそのからだを横たえさせた。それから私はその脣にブランディをつぎ込んだ。幸いにそれが卓効を奏して、蒼白な彼の顔には再び血の気があらわれ、ふるえる手足をようやく落ち着かせるようになった。彼は肘を突いてからだを起こして、あたりを見まわしていたが、われわれ二人ぎりであるのを見て、やっと安心したように、こっちへ来て自分のそばへ坐れと、わたしを手招きした。

「君は見たね」と、この人の性質とはまったく似合わないような、低い畏れたような調子で、彼は訊いた。

「いいえ、何も見ませんでした」

彼の頭は、ふたたびクッションの上に沈んだ。

「いや、いや、望遠鏡を持ってはいなかったろうか」と、彼はつぶやいた。「そんなはずがない。わしに彼女をみせたのは望遠鏡だ。それから愛の眼……あの愛の眼を見せたのだ。ねえ、ドクトル、給仕を内部へ入れないでくれたまえ。あいつはわしが気が狂ったと思うだろうから。その戸に鍵をかけてくれたまえ。ねえ、君！」

私は起って、彼の言う通りにした。

　彼は瞑想に呑み込まれたかのように、しばらくの間じっと横になっていたが、やがてまた肘を突いて起き上がって、ブランディをもっとくれと言った。

「君は、思ってはいないのだね、僕が気が狂っているとは……」

　私がブランディの壜を裏戸棚にしまっていると、彼がこう訊いた。

「さあ、男同士だ。きっぱりと言ってくれ。君はわしが気が狂っていると思うかね」

「船長は何か心に屈託があるのではありませんか。それが船長を興奮させたり、また非常に苦労させたりしているのでしょう」と、わたしは答えた。

「その通りだ、君」と、ブランディの効き目で眼を輝かしながら、船長は叫んだ。「全くたくさんの屈託があるのさ。……たくさんある。それでもわしはまだ経緯度を計ることは出来る、六分儀も対数表も正確に扱うことが出来る。君は法廷でわしを気違いだと証明することはとうていできまいね」

　彼が椅子に倚りかかって、さも冷静らしく自分の正気なることを論じているのを聞いていると、わたしは妙な心持ちになって来た。

「おそらくそんな証明は出来ないでしょう」と、私は言った。「しかし私は、なるべく早く帰国なすって、しばらく静かな生活を送られたほうがよろしかろうと思います」

「え、国へ帰れ……」と、彼はその顔に嘲笑の色を浮かべて言った。「国へ帰るというのはわしのためで、静かな生活を送るというのは君自身のためではないかね、君。フロラ……可愛いフロラと一緒に暮らすさね。ところで、君、悪夢は発狂の徴候かね」

「そんなこともあります」

「何かそのほかに徴候はないかね。一番最初の徴候は何かね」

「頭痛、耳鳴り、眩暈(めまい)、幻想……まあ、そんなものです」

「ああ、なんだって……？」と、突然に彼はさえぎった。「どんなのを幻想(デルージョン)というのだね」

「そこに無いものを見るのが幻想です」

「だって、あの女はあすこにいたのだよ」と、彼はうめくように言った。「あの女はちゃんとそこにいたよ」

彼は起ち上がってドアをあけ、のろのろと不確かな足取りで、船長室へ歩いて行った。わたしは疑いもなく、船長は明朝までその部屋にとどまることと思った。彼がみずから見たと思った物がどんなものであるとしても、彼のからだは非常な衝動(ショック)を受けたようである。

船長は日毎(ひごと)にだんだんおかしくなってくる。わたしは彼自身が暗示したことが本当のことであり、またその理性が冒(おか)されているのを恐れた。彼が自己の行為に関して、何か良心の呵責（かしゃく）を受けているのであると、わたしは思われない。こんな考えは、高級船員などの間ではありふれた考え方であり、また普通船員のうちにあってもやはり同様であると信じられる。しかし私は、この考え方を主張するに足るべき何物をも見たことがない。彼には、罪を犯した人のような様子は少しも見えない。かれは苛酷な運命の取り扱いを受けて、罪人というよりはむしろ殉教者と認むべき人のような様子が多く見られるのであった。

今夜の風は南にむかって吹き廻っている。ねがわくば、われわれが唯一（ゆいいつ）の安全航路であるところの、あの狭い通路が遮断されないように――。大北極の氷群、すなわち捕鯨者のいわゆる「関所（バリアー）」のはしに位してはいるが、どんな風でも北さえ吹けば、われわれの周囲の氷を粉砕して、われわれを助けてくれることになる。南の風は解けかかった氷をみなわれわれのうしろへ吹きよせて、二つの氷山の間へわれわれを挟むのである。どうぞ助かるようにと、私はかさねて言う。

九月十四日。日曜日にして、安息日。わたしの気遣っていたことが、いよいよ実際となって現われた。

唯一の逃げ道であるべき碧（あお）い細長い海水の通路が、南の方から消えてきた。怪しげな氷丘と、奇妙な頂端を持って動かない一大氷原が、吾人の周囲につらなるのみである。恐ろしいその広原を蔽(おお)うものは、死のごとき沈黙である。今や一つのさざなみもなく、海の鷗(かもめ)の鳴く声もきこえず、帆を張った影もなく、ただ全宇宙にみなぎる深い沈黙があるばかりである。

　その沈黙のうちに、水夫らの不平の声と、白く輝く甲板の上にかれらの靴のきしむ音とが、いかにも不調和で不釣合いに響くのである。ただ訪れたものは一匹の北極狐(アークチック・フォックス)のみで、これも陸上では極めてありふれたものであるが、氷群の上にはまれである。しかしその狐も船に近づかず、遠くから探るような様子をしたのちに、氷を超えて速(すみや)かに逃げ去ってしまった。これは不思議な行動というべきで、北極の狐は一般に人間をまったく知らず、また穿索(せんさく)好きの性質であるので、容易に捕えられるほど非常に慣れ近づくものであるからである。信ぜられないことのようであるが、この際こんな些細(ささい)な事件でさえも、船員らには悪影響を及ぼしたのであった。

「あの清浄な動物は怪物を知っている。そうだ。われわれを見てではなく、あの魔物を見たからなのだ」というのが、主だった魚銛発射手(もりうち)の一人の注釈であった。そうして、その他の者も皆それに同意を示したので、こんな他愛もない迷信に反対しようとする者さえも、まったく無益のことであった。かれらはこの船の上には呪いがあると信じ、そうして、たしかにそうであると決定してしまったのである。

船長は午後の約三十分、後甲板へ出てくる以外は、終日(しゅうじつ)自分の部屋にとじこもっていた。わたしは彼が後甲板で、きのう、かの幻影が現われた場所をじっと見入っているのを見たので、またどうかするのではないかとじゅうぶん覚悟していたが、別に何事も起こらなかった。私はそのそば近くに立っていたが、彼はかつて私を見る様子もなかった。

機関長がいつものごとくに祈禱をした。捕鯨船のうちで、イングランド教会の祈禱書が常に用いられるのはおかしなことである。しかも高級船員のうちにも、普通船員のうちにも、けっしてイングランド教会の者はいないのである。われわれは天主教徒(ローマン・カトリック)か長老教会派(プレスビテリアンス)のもので、天主教徒が多数を占めている。そこで、どちらの信徒にも異なる宗派の儀式が用いられているのであるから、いずれも自分たちの儀式がいいなどと苦情を言うことも出来ない。そうして、そのやりかたが気に入ったものであれば、かれらは熱心に傾聴するのである。

かがやく日没の光りが、大氷原を血の湖(うみ)のように彩(いろど)った。私はこんな美しい、またこんな気味の悪い光景を見たことがない。風は吹きまわしている。北風が二十四時間吹くならば、なお万事好都合に運ぶであろう。

四

九月十五日。きょうはフロラの誕生日なり。愛する乙女の君よ。君のいわゆるボーイなる私が、頭の狂った船長のもとに、わずか数週間の食物しかなくて、氷のうちにとじこめられているのが、君にはむしろ見えないほうがいいのである。うたがいもなく、彼女はシェットランドからわれわれの消息が報道されているかどうかと、毎朝スコッツマン紙上の船舶欄を、眼を皿にして見ていることであろう。わたしは船員たちに手本を示すために、元気よく、平静をよそおっていなければならない。しかも神ぞ知ろしめす。――わたしの心は、しばしば甚だ重苦しい状態にあることを――。

きょうの温度は華氏十九度、微風あり。しかも不利なる方向より吹く。船長は非常に機嫌がいい。彼はまた何かほかの前兆か幻影を見たと想像しているらしい。ゆうべは夜通し苦しんだらしく、けさは早くわたしの室へ来て、わたしの寝棚によりかかりながら、「あれは妄想であったよ。君、なんでもないのだよ」と、ささやいた。

朝食後、彼は食物がまだどれほどあるかを調べて来るように、わたしに命じたので、早速二等運転士とともに行ったところ、食物は予期したよりも遥かに少なかった。船の前部に、ビスケットの半分ばかりはいったタンクが一つと、塩漬けの肉が三樽、それから極めてわずかのコーヒーの実と、砂糖とがある。また、後船艙と戸棚の中とに、鮭の鑵詰、スープ、羊肉の旨煮、その他のご馳走がある。しかし、それとても五十人の船員が食ったらば、瞬くひまに無くなってしまうことであろう。なお貯蔵室に粉二樽と、それから数の知れないほどに煙草がたくさんある。それら全体を引っくるめたところで、各自の食量を半減して、約十八日乃至二十日間ぐらいを支え得るだけのものがある——おそらく、それ以上はとうてい困難であろう。

われわれ両人がこの事情を報告すると、船長は全員をあつめて、後甲板の上から一場の訓示を試みた。私はこの時ほどの立派な彼というものを今まで見たことがない。丈高く引きしまった体軀、色やや浅黒く潑剌たる顔、彼はまさに支配者として生まれて来たもののようであった。彼は冷静な海員らしい態度で、諄じゅんとして現状を説いた。その態度は、一方に危険を洞察しながら、他方にありとあらゆる脱出の機会を狙っていることを示すものであった。

「諸君」と、彼は言った。「諸君はうたがいもなく、この苦境に諸君をおとしいれたものは、このわしであると思っていられるであろう。そうして、おそらく諸君のうちにはそれを苦にがしく思っている者もあるであろう。しかし多年の間、このシーズンにここへ来る船のうちで、どの船であろうとも、わが北極星号のごとく多くの鯨油の金をもたらしたものはなく、諸君も皆その多額の分配にあずかってきたことを、心にきざんでおいてもらわなければならない。意気地なしの水夫どもは娘っ子たちに会いたがって村へ帰ってゆくのに、諸君らは安んじてその妻をあとに残しておいて来たのである。そこで、もし諸君が金儲けが出来たためにわしに感謝しなければならぬというのならば、この冒険に加わって来たことに対しても、当然、わしに感謝していいはずで、つまりこれはお互いさまというものである。大胆な冒険を試みて成功したのであるから、今また一つの冒険を企てて失敗しているからといって、それをとやかく言うにはあたらない。たとい最も悪い場合を想像してみても、われわれは氷を横切って陸に近づくことも出来る。海豹（あざらし）の貯蔵のなかに臥（ね）ていれば、春まではじゅうぶん生きてゆかれる。しかし、そんな悪いことはめったに起こるものでない。三週間と経たないうちに、諸君は再びスコットランドの海岸を見るであろう。それにしても現在においては、いやとも各自の食量を半減してもらわなければならない。同じように分配して、誰も余計にとるようなことがあってはならない。諸君は心を強く持ってもらいたい。そうして、以前に多くの危険を凌（しの）いできたように、この後なおいっそうの努力をもってそれを防がなければならない」

彼のこの言葉は、船員らに対して驚くべき効果をあたえた。今までの彼の不人気は、これによってすっかり忘れられてしまった。迷信家の魚銛発射手の老人がまず万歳を三唱すると、船員一同は心からこれに合唱したのであった。

九月十六日。風は夜の間に北に吹き変わって、氷は解けそうな徴候を示した。食糧を大いに制限されたにもかかわらず、船員らはみな機嫌をよくしている。もし危険区域脱出の機会が見えたらば、少しの猶予もないようにと、機関室には蒸気が保たれて、出発の用意が整っている。

船長はまだ例の「死」の相から離れないが、元気は旺溢している。こう突然に愉快そうになったので、私はさきに彼が陰気であった時よりも更に面喰らった。わたしには到底これを諒解することが出来ない。私はこの日誌の初めの方にそれを挙げたと思うが、船長の奇癖のうちに、彼はけっして他人を自分の部屋へ入れないことがある。現に今もなおそれを実行しているのであるが、彼は自身で寝床を始末し、ほかの船員らにもこれを実行させている。ところが、驚いたことには、きょうその部屋の鍵をわたしに渡して、その船室へ降りて行って、彼が正午の太陽の高度を測っている間、船長の時計で時間を取るようにと私に命令したのであった。

部屋は洗面台と数冊の書籍とをそなえた飾り気のない小さい室である。壁にかけられた若干の絵のほかには、ほとんど何の装飾もない。それらの多くは油絵まがいの安っぽい石版画であるが、ただ一つわたしの注意をひいたのは、若い婦人の顔の水彩画であった。

それは明らかに肖像画であって、舟乗りなどが特に心を惹かれるような、想像的タイプの美人ではなかった。どんな画家でも、こんな性格と弱さとが妙に混淆したところのものを、その内面的から描き出すことは、なかなかむずかしいことであったろう。睫毛の垂れた不活発そうな物憂い眼と、そうして思案にも心配にも容易に動かされないような、広い平らな顔とは、綺麗に切れて浮き出した顎や、きっと引き締まった下唇と、強い対照をなしていた。肖像画の一方の下隅に、「エム・ビー、年十九」と書かれていた。わずか十九年の短い生涯に、彼女の顔に刻まれたような強い意志の力をあらわし得るとは、その時わたしにはほとんど信じられなかった。彼女は定めて非凡な婦人であったに相違なく、その容貌はわたしに非常な魅力をあたえた。私は単にちらりと見ただけであったが、もしわたしが製図家であるならば、この日記に彼女の容貌のあらゆる点を描き出すことがきっと出来るであろう。

彼女はわが船長の生涯において、いかなる役割りを演じたのであろうか。船長はこの絵をその寝床のはしにかけておくので、彼の眼は絶えずこの画の上にそそがれているはずである。もし船長がもっと無遠慮であったならば、何かこのことに関して観察することも出来たのであろうが、彼は無口で控え目の性質であったので、奥深く観察が出来なかったのである。

彼の室内のほかのものについては、なんら記録にあたいするようなものはなかった。

煙管——すなわち船長服、携帯用の床几、小形の望遠鏡、煙草の鑵、いくつかのパイプ及び水煙管——ちなみに、この水煙管は船長が戦争に参加したというミルン氏の物語に少しく色をつけるが、その連想はむしろ当たらないらしい。

午後十一時二十分。船長は長いあいだ雑談に花を咲かせた後、たった今寝床についた。彼が気の向いているときは、実に惚れぼれするようないい相手である。非常に博識で、しかも独断的に見ゆることなしに、強く自己の意見を表示する力を持っている。それを思うと、わたしは自分の頭のよく働かないのが忌になる。

彼は霊魂の性質について話した。そうして、アリストテレスやプラトンの説をよく消化して、問題のうちに点出した。彼は輪廻を学び、ピタゴラス（紀元前のギリシャの哲学者）の説を信ずるもののようである。それらを論じているうちに、われわれは降神術の問題に触れた。私はスレードの詐欺に対して、ふざけた引喩をしたところ、彼は有罪と無罪とを混同しないようにと、はなはだ熱心にわたしに向かって警告した。そうして、キリスト教と邪教とをひとしく心に刻するのは正しい議論である、なぜなれば、キリスト教を詐りよそおったユダは悪漢であったと彼は論じた。それから間もなく、彼はお寝みと言って、自分の部屋へ退いて行った。

風は新たになり、確かに北から吹いている。夜は英国の夜のごとくに暗い。あすは、この氷の桎梏からのがれ得ることを祈る。

九月十七日。再びお化け騒ぎ。ありがたいことに、わたしは至極大胆である。意気地のない水夫らの迷信と、熱心なる自信をもってかれらが語る詳細の報告とは、かれらの平生に慣れていない者を戦慄させるであろう。

妖怪事件については、多くの説がある。しかしそれらを要約すれば、何か怪しいものが船の周囲を終夜飛びあるくというのである。ピーターヘッドのサイディ・ムドナルドもそれを見たと言い、シェットランドの背高のっぽうのピーター・ウィリアムソンもそれを見たと言い、ミルン氏もまたブリッジで確かに見たという。これで都合三人の証人があるので、二等運転士が見た時よりは、船員の主張がいっそう有力になってきた。

朝食の後、私はミルン氏に話して、こういうばかばかしいことには超然としていなければならず、また、ほかの船員らによい手本を示さなければならないと言ってやった。ところが、彼は例によって何かを予言するように、風雨にさらされたその頭をふって、特殊の注意を払いながら答えたのは、こうであった——。

「おそらくそうであるかもしれず、そうでないかもしれないよ、ドクトル」と、彼は言った。「僕はそれを幽霊と呼びはしなかった。これについてはいろいろの言い分もあるが、僕は海お化けや、この種のものについて、自分の信条を本当らしく言い拵えるようなことはしないつもりだ。僕はむやみに怖がるのではない。しかし明かるい日中にとやかく言わず、もし君がゆうべ僕と一緒にいて、あの怖ろしい形をした、白い無気味なものが、あっちへ行ったり、こっちへ来たりして、ちょうど母親を失った仔羊のように、闇のなかを泣き叫ぶのを見たら、おそらく君だってぞっとしたろうと思う。そうすれば、君も、ばかばかしい話だなどと、そう簡単には片付けてしまわないだろうよ」

わたしは彼を説きつける望みはないと思って、この次にもしまた幽霊があらわれたらば、私を呼び上げてくれるように特に頼んでおくのほかはなかった。――この頼みを、彼は「そのような機会はけっして来ないように」との願いをあらわす祈りのことばをもって、ともかくも承知だけはすることになった。

五

わたしが望んだごとく、われわれのうしろの氷面が破れて、細い水の条が現われて来た。それが遠く全体にわたって拡がっている。今日われわれが在るところの緯度は北緯八十度五十二分で、これはすなわち氷群に南からの強い潮流がまじっていることを示すのである。風が都合よく吹きつづくならば、結氷と同じ速さでまた解氷するであろう。現在のわれわれは、煙草をふかして機会を待ち望むのほかに何事も手につかない。わたしは急激に運命論者にならんとしつつある。風や氷のような、とかく不確実な要素のものばかりを取り扱っていると、人間もしまいにはそうならざるを得ない。マホメットの最初の従者らの心を運命に従わしめたものは、おそらくアラビア砂漠の風か砂であったろう。

このようなお化け騒ぎが、船長に対して非常に悪い影響を与えてしまった。わたしは彼の敏感な心を刺戟するのを恐れて、このばかばかしい話を隠そうと努めていたが、不幸にして彼は船員の一人がこの話をほのめかしているのを洩れ聞いて、どうしてもそれを聞こうと言い出した。そうして、わたしが予期した通り、それがために船長のいったん鎮まっていた心がまた大いに狂い出した。これが昨夜、最も批判的聡明と最も冷静なる判断とをもって、哲学を論じたその同一人とは、とうてい信ぜられなかった。彼は後甲板を檻のなかの虎のようにあちらこちらと歩き廻っている。時どきに立ち停まって、うっとりとした様子で手を突き出しながら、何かたえられないように氷の上を見入っているのである。

彼は絶えずつぶやいている。そうして一度「ほんのちっとの間、愛して……ほんのちっとの間！」と叫んだ。

ああ、可哀そうに。立派な海員にして教養ある紳士が、こんな境遇に落ちてゆくのを見るのは悲しいことである。また真の危険もただ生活の一刺戟に過ぎぬとしているような船長の心を、あの空想と妄想とが威嚇するかと思うと、さらに悲しくなるのである。発狂せる船長と、幽霊におびえている運転士との間に、かつて私のような地位に立った者があるだろうか。わたしは時どきに思うのであるが、おそらくあの二等機関手を除いては、私がこの船中でただ一人の正気の人間ではあるまいか。しかし、かの機関手も一種の瞑想家で、彼を独りでおく限り、またその道具を掻きみださない限り、彼は紅海の悪魔に関するほかは何も注意しないのである。

氷は依然として速(すみや)かにひらいている。明朝出発することが出来そうな見込みはじゅうぶんである。国へ帰って、これまでにあった不思議な出来事を話したらば、みんなきっと私が作り話をしていると思うであろう。

午後十二時。私は実にもう、ぞっとしてしまった。今はいくぶん落ち着いてはきたが、これとても強いブランディを一杯引っかけたお蔭である。以下この日記が証明するように、私はいまだ全く自己を取り戻してはいないのである。わたしは非常に不思議な経験を味わった。そうして、私にはどうしても合理的だとは思われないような事物を、かれらをたしかに見たというので、私は船中の者をみな狂人ときめてしまったが、今となってはそれが果たして正しいかどうか、はなはだ疑わしくなってきたのである。ああ、こんなつまらないことに神経を奪われてしまうとは、私もなんという大馬鹿者であろう。これはすべての馬鹿騒ぎのあとから起こったことであるが、ここに書き加える価値があると思う。いつも馬鹿にしていたことも、今みずからこれを経験するに及んで、もはやミルン氏の話も、例の運転士の話も、いずれもこれを疑うことが出来なくなったからである。

畢竟、これとてたいしたことではない――ただ一つの音だけであったに過ぎない。私はこの日記を読まれる人が、いつかこの条を読むとしても、私の感情と共鳴し、あるいはその時わたしに及ぼしたような結果を実感せられるであろうとは思わない。

さて夕食が終わって、私は寝に就く前に、しずかに煙草をふかそうと思って、甲板へ登って行った。夜は甚だ暗く――その暗さは、船尾端艇の下に立っていてさえも、ブリッジの上にいる運転士の姿が見えないほどであった。前にも言った通り、非常な沈黙がこの氷の海に充ち満ちているのである。この世界のほかの部分では、たといいかに不毛の地であろうとも、微かながらも大気の振動というものがある。――遠くの人の集まっている処からも、あるいは木の葉から、あるいは鳥の翼から、または地をおおう草のかすかなざわめきの音からさえも、何かかすかな響きがあるものである。人間は積極的に音響を知覚こそしないが、もし音というものが全然なくなってしまうと、実に物足りなくて寂しいものである。測り知られざる真の静けさが、あらゆる現実の無気味さをもって、われわれの上に押しせまっているのは、ここ北極の海においてのみで、わずかなつぶやきの声をも捉えんとして緊張し、船中にちょっと起こった小さい物音にまで熱心に注意する、われと我が鼓膜に気がつくのである。

こんな心持ちで、わたしは舷檣にひとり倚りかかっていると、ほとんど私のすぐ下の氷から、夜の静寂の空気を破って、鋭い尖った叫び声がひびいてきた。

最初はあたかも楽劇の首歌妓も及ばぬような佳い音調で、それがだんだんに調子を上げて、ついにその頂点は苦痛の長い号泣と変わってしまった。これは死者の最期の絶叫であったかもしれない。このものすごい絶叫は、今もなお私の耳にひびいている。悲哀――いうにいわれぬ悲哀がそのうちに表わされているかのようで、また非常な熱望と、それをつらぬいて時どきに狂喜の乱調とが伴っていた。それは私のすぐそばから叫び出したのであるが、わたしが暗闇のうちをじっと見つめた時には、何も見分けることは出来なかった。

私はややしばらく待っていたが、再びその音を聞くことがなかったので、そのままに降りて来た。実にわたしは、わが全生涯中にかつて覚えない戦慄を感じながら――。

明かり取りのあるところを降りて来ると、見張り番交代に昇って来るミルン氏に逢った。

「さて、ドクトル」と、彼は言った。「おそらくそれは馬鹿な話だろうよ。君はあの金切り声を聞かなかったかね。たぶん、それは迷信だろうよ。君は今どうお考えだね」

私はこの正直な男に詫びを言い、そうして私もまた彼と同じように惑っていることを認めなければならなかった。おそらく、あすはわたしの考えも違ってくるであろう。しかも今の私は自分の考えをすべて書きしるす勇気はほとんどない。他日これらの忌(いや)な連想をいっさい振り落としたあかつきに再びこれを読んで、わたしはきっと自分の臆病を笑うであろう。

九月十八日。わたしはなお、かの奇妙な声に悩まされつつ、落ち着かない不安な一夜を過ごした。船長も安眠したようには見えない。その顔は蒼白(そうはく)で、眼は血走っていた。わたしは昨夜の冒険を彼に話さなかった。いや、今後とてもけっして話すまい。彼はもう落ち着きというものが少しもなく、まったく興奮している。そわそわと立ったり居たりして、少しの間もじっとしていることが出来ないらしい。

けさは私の予期のごとく、あざやかな通路が群氷のうちに現われたので、ようやくに氷錨(アイス・アンカー)を解いて、西南西の方向に約十二マイルほど進むことが出来たが、またもや一大浮氷に妨げられて、そこに余儀(よぎ)なく停船することとなった。この氷山は、われわれが後に残してきたいずれもに劣らない巨大なものである。これが全くわれわれの進路を妨害したために、われわれは再び投錨して、氷のとけるのを待つのほかには、どうすることも出来なくなったのである。もっとも、風が吹きつづけさえすれば、おそらく二十四時間以内には氷は解けるであろう。鼻のふくれた海豹数頭が水中に泳いでいるのが見えたので、その一頭を射とめると、十一フィート以上の実に素晴らしいやつであった。かれらは獰猛な喧嘩好きの動物で、優に熊以上の力があるといわれているが、幸いにその動作はにぶく不器用なので、氷の上でかれらを襲ってもほとんど危険というものがない。

船長はこれが苦労の仕納めだとは全然思っていないようであった。他の船員らはみな奇蹟的脱出をなし得たと考えて、もはや広い大海へ出るのは確実であると思っているのに、なにゆえに船長は事態を悲観的にのみ見ているのか、わたしにはとうてい測り知られないことである。

「ドクトル。察するに、君はもう大丈夫だと思っているね」と、夕食の後、一緒にいる時に船長は言った。

「そうありたいものです」と、私は答えた。

「だが、あまり楽観してはならない。もっとも、たしかなことはたしかだが……。われわれはみな、間もなく自分自分のほんとうの愛人のところへ行かれるのだよ。ねえ、君、そうではないかね。しかしあまり楽観してはならない。……楽観し過ぎてはならないね」

彼は考え深そうに、その足を前後にゆすりながら、しばらく黙っていた。

「おい、君」と、彼はつづけた。「ここは危険な場所だよ。一番いい時でも、いつどんな変化があるか分からない危険な場所だ。わしはこんなところで、まったく突然に人がやられるのを知っている。ちょっとした失策の踏みはずしが、時どきそういう結果を惹き起こすのだ。——わずかに一つの失策で氷の裂け目に陥落して、あとには緑の泡が人の沈んだところを示すばかりだ。まったく不思議だね」

　彼は神経質のような笑い方をしながら、なおも語りつづけた。

「ずいぶん長い間、毎年わしはこの国へ来たものだが、まだ一度も遺言状を作ろうなどと考えたことはない。もっとも、特にあとに残すようなものが何も無いからでもあるが……。しかし人間が危険にさらされている場合には、よろしく万事を処理し、また用意しておくべきだと思うが、どうだね」

「そうです」と、私はいったい、彼が何を思っているのかと怪しみながら答えた。

「誰にしたところが、それがみな決めてあると思えば安心するものだ」と、彼はまた言った。「そこで、何かわしの身の上に起こったら、どうかわしに代って君が諸事を処理してくれたまえ。わしの船室(キャビン)にはたいしたものもないが、まあ、そんなつまらないものでも売り払ってしまって、その代金は鯨油の代金が船員のあいだに分配されるように、平等にかれらに分配してやってくれたまえ。時計は、この航海のほんの記念として、君が取っておいてくれ。もちろん、これは唯(ただ)あらかじめ用心しておくというに過ぎないが、わしはこれをいつか君に話そうと思って、機会を待っていたのだ。もし何かの必要のある場合には、わしは君の厄介（やっかい）になるだろうと思うがね」

「まったくそうです」と、私は答えた。「船長さんがこういう手段をとられるからには、わたしもまた……」

「君は……君は……」と、彼はさえぎった。「君は大丈夫だ。いったい君になんの関係があろうか。わしは短気なことを言ったわけではない。ようやく一人前になったばかりの若い人が、〈死〉などということについて考えているのを、聞いているのは忌（いや）だ。さあ、船室のなかのくだらない話はもうやめにして、甲板へ行って新鮮の気を吸おうではないか。わしもそうして元気をつけよう」

この会話について考えれば考えるほど、私はますます忌な心持ちになって来た。あらゆる危険を逃がれ得られそうな時に、なぜ遺言などをする必要があるのであろう。彼の気まぐれには、きっと何かの方法があるに相違ない。彼は自殺を考えているのであろうか。私はある時、彼が自己破壊のいまわしい罪であることを、非常に敬虔（けいけん）な態度で語ったのを記憶している。しかし今の私は、彼から眼を離すまい。その私室へ闖入（ちんにゅう）することは出来ないにしても、少なくとも彼が甲板にある限りは、私もかならず甲板にとどまっていることにしようと思った。

ミルン氏は私の恐怖を嘲笑して、それは単に「船長のちょっとした癖」に過ぎないと言っている。彼は甚だ事態を楽観しているのである。その言うところによれば、明後日までには、われわれは鎖された氷から脱出することが出来る。それから二日にしてジャン・メーエンを過ぎ、また一週間ばかりにしてシェットランドが見られるであろうと――。どうか、彼が楽観し過ぎていなければいいがと思う。もっとも彼の意見は、船長の悲観的な考えとは違って、おそらく公平な判断であろう。彼はいろいろの古い経験に富んだ海員であって、なんでも物事をよく熟考した上でなくては、容易に口をきかないという人であるから――。

六

長い間、まさに来たらんとしていた不幸の大団円が、ついに来てしまった。私はそれをどう書いていいか、ほとんど分からない。船長は行ってしまった。あるいは彼は再び生きて帰るかもしれない。しかし、おそらく――おそらくそれは絶望であろう。

今は九月十九日の午前七時である。わたしは何か彼の足跡にでも逢着することもあるまいかと、水夫の一隊を伴って、終夜前方の氷山を歩きまわったが、それは徒労に終わった。わたしは彼の行くえ不明について、ここに少しく書いてみよう。もし他日これを読む人があったならば、これは臆測や伝聞によって書いたものではなく、正気の、しかも教育あるわたしが、自分の眼前に現に発生したことを正確に記述しているものであることを必ず承知してもらいたい。わたしの推量は――それは単に私自身の推量であるに相違ないが、その事実に対して私はあくまでも責任を持つのである。

前述の会話の後、船長はまったく元気であった。しかし、しばしばその姿勢を変えたり、彼の癖の舞踏病的な方法でその手足を動かしたりして、神経質そうに苛いらしているように見えた。彼は十五分間に七たびも甲板へのぼって行った。そうして、二、三歩も大股に急ぎ足で甲板を歩いたかと思うと、また直ぐに降りて来る。わたしはその都度について行った。彼の顔の上に、なんとなく不安な影がただよっているのが見えたからである。彼は私のこの懸念をさとったらしく、わたしを安心させようとして殊更に快活をよそおい、ほんのつまらない冗談にも、わざとからからと笑ったりしてみせた。

夜食の後、彼は再び船尾の高甲板へ登った。夜は暗く、円材にあたる風のひゅうひゅうという陰気な音を除いては、まったく静寂であった。密雲が北西の方から押し寄せて来て、その雲の投げたあらい触角が、月の面を横ぎって流れていた。月はこの雲間を透して時どきに照るのである。船長は足早に往ったり来たりしていたが、私がまだついて来ているのを見て、彼はわたしのそばへ来て、下へ行ったらいいだろうということを、謎かけるように言うのであった。――それは言うまでもなく、甲板にとどまっていようとする私の決心をますます強めるものであった。

この後、彼は私の存在を忘れたように、黙って船尾の手摺りによりかかって、一部分は暗く、一部分は月の光りにおぼろに輝いている大氷原のあなたを、まじろぎもせずに見詰めていたのである。わたしは彼の動作によって、彼がいくたびか懐中時計をながめているのを見た。彼は一度、何か短い文句をつぶやいたが、ただその中の「もういいよ」という一語しか聴き取れなかった。

闇に浮かぶ船長の大きい朦朧（もうろう）とした姿をながめ、さらに彼があたかも媾曳（あいび）きの約束を守る人がぼんやりと物を考えているような姿で立っているのを見たとき、私は全身にさっと不気味な寒さを感じたことを白状する。しかし、誰との逢いびきであろう。私が一つの事実と他の事実とを接（つ）ぎあわせたとき、あるおぼろげな観念は浮かんで来たけれども、その結論はやはりまとまらないのであった。

彼が突然に熱狂したような様子を示したので、わたしは当然彼が何かを見たと思った。私はそっとそのうしろに忍び寄ると、彼は船と一直線上をすみやかに飛んでいる霧の圏のようなものを熱心に見つめていた。それは形のない朦朧たる一種の星雲体のもので、それに月の光りがさしたとき、ある時は大きく、ある時は小さく見えるのである。月はこのとき、あたかもアネモネの覆(おお)いのように、極めて薄い雲の天蓋をもって、その光りを小暗(おぐら)くしていた。

「ああ、やって来るよ、あの娘が……。ああ、やって来るよ」と、測り知れぬ優しさと、憐れみの籠った声で、船長は叫んだ。

　それはあたかも長いあいだ待ち設けていた愛情をもって、可愛い者を慰めてやるように——。そうしてまた、愛を与えるのは、受けるのと同じく愉快であるといったように——。

　その次のことは、まったく瞬間的に突発したのであって、私には何とも手のくだしようがなかった。彼は舷檣の天辺(てっぺん)にむかって飛んだ。それから再び飛ぶと、彼はすでに氷の上にあって、かの蒼白い朦朧たる物の足もとに立ったのである。彼はそれを抱くように両手を衝(つ)と差し出した。そうして、両方の腕をひろげて、何か色めいた言葉を口にしながら、闇の中へまっしぐらに走り去った。

　わたしは硬くなって突っ立ったままで、その声が遠く消えてしまうまで、闇に吸われてゆく彼の姿を、大きい眼で見送っていた。私は再び彼の姿を見ようとは思わなかった。ところが、その瞬間に月は雲のあいだから皎(こう)こうと輝き出(い)て、大氷原の上を照らしたので、わたしは氷原を横切って非常の速力で走ってゆく彼の黒影を、遙かに遠いあなたに認めた。これが、彼に対するわれわれの最後の一瞥(いちべつ)であった。——おそらく永久にそうであろう。

間もなく追跡隊が組織されて、私もそれに加わったが、みんなの気が張っていないので、何を見いだすことも出来なかった。数時間以内には、さらにもう一度、捜索が試みられるはずである。私はこれらのことを書きながら、自分は夢でも見ているのか、あるいは何か恐ろしい夢魔にでもおそわれているような心持ちがしてならない。

午後七時三十分。第二回の船長捜索から、疲れ切ってただいま帰って来た。捜索は不成功である。この氷山は途方もなく広いので、われわれはその上を少なくも二十マイルは歩いたが、行けども行けども果てしがありそうにも思われなかった。寒気は近ごろ非常に厳しいので、氷の上に降り積む雪が御影石（みかげいし）のように固くなっている。こんなことさえなければ、船長の足跡ぐらいはすぐに見つけられたであろう。

船員らは纜（ともづな）を解いて、氷山を迂回して南方にむかって船を進めようと、しきりにあせっている。氷も夜のあいだはひらけて、海水は地平線上に見えているからである。かれらは「クレーグ船長はきっと死んでいる。それであるから、われわれに脱出の機会があるにもかかわらず、ここにぐずぐずしているのはくだらなくみんな生命（いのち）の質（しち）をするものである」と論じている。ミルン氏とわたしとが大いに尽力して、ようよう明日の晩まで待つように一同を説き伏せたが、その以上はいかなる事情があっても、出発を延期しないと約束させられてしまった。そこで、われわれは数時間の睡眠を取った上で、最後の捜索に出発するように提議したのであった。

九月二十日、夜。わたしは今朝、氷山の南部を探索に出発し、ミルン氏は北の方へ出発した。十マイル乃至十二マイルの間、およそ生きているものの影というものは全く見られず、ただ一羽の鳥がわれわれの頭の上を高く飛んで行ったばかりである。その飛び方によって、私はそれを鷹だと思った。氷原の南端は狭い岬のように、その尖端が細まって海中に突出している。この岬の麓へ来た時に、一行は足を停めてしまった。しかし私はいかなる機会をもおろそかにしなかったという満足を得たかったので、岬の行き止まりまで探して見るようにと、みんなに頼んだ。

百ヤードほど行くか行かぬに、ピーターヘッドのムドナルドが、われわれの前方に何か見えると叫んで走り出した。われわれもまた、ちらりとそれを見て走り出した。最初はそれが白い氷に対して、ぼんやりと黒く見えただけであったが、近づくにつれてそれは人の形をなして来た。そうして、しまいにはわれわれが捜しているその人の形となって現われたのである。彼は氷の土手にうつむきに倒れていた。多くの小さな氷柱や、雪の小片が、倒れている彼の上に吹きつけて、黒い水兵着の上にきらきらと光っていた。

われわれが近づいてゆくと、にわかに一陣の旋風がさっと吹いてきて、紛ぷんたる雪片を空中に巻き上げたが、その一部は落ちて来て、また再び風に乗って、海の方へすみやかに飛んで行ってしまった。わたしの眼にはそれが単に吹雪としか見えなかったが、同行者の多くの者の眼には、それが婦人の形をして立ち上がり、屍の上にかがんでこれに接吻し、それから氷山を横ぎって急いで飛び去ったように見えたと言うのであった。

わたしは何事によらず、それがどんなに奇妙に思われても、ひとの意見をけっして嘲笑しないようにこれまで仕馴れてきた。たしかに、ニコラス・クレーグ船長は悼ましい死を遂げたのではなかったものと思う。彼の青く押し付けたような顔には、輝かしい微笑を含んでいる。そうして、死のあなたに横たわる暗い世界へ彼を招いた不思議の訪問者をとらえるかのように、彼はなお両手を突き出しているのである。

われわれは彼を船旗に包み、足もとに三十二ポンド弾を置いて、その日の午後に彼を葬った。わたしが弔辞を読んだとき、荒らくれた水夫はみな子供のように泣いた。それというのも、そこにいる多くの者は彼の親切な心に感じていたのである。そうして、今こそその愛情を示すことが出来たのである。彼の生きている時には例の不思議な癖で、彼はむしろこういう愛情を不快に感じて、いつも拒絶してきたのであった。

船長の屍は、にぶい寂しい飛沫をあげて、船の格子を離れていった。わたしは青い水面を凝視していると、その屍は低く低く、遂に永久の暗黒にゆらめく白い小さい斑点となって、それさえもやがて見えなくなってしまった。秘密や、悲哀や、神秘や、あらゆるものを彼の胸にふかく秘めて、復活の日まで彼はそこに横たわっているのであろう。その復活の日には、海はその死者を放ち、わがニコラス・クレーグは笑みをたたえ、かの硬（こわ）ばった腕を突き出して挨拶しながら、氷の間から現われて来るであろう。彼の運命がこの世におけるよりは、あの世においていっそう幸福ならんことを、わたしは切（せつ）に祈るものである。

私はもうこの日記をやめにしよう。われわれの帰路は平穏無事であり、大氷原もやがては単に過去の思い出となるであろう。少し経てば、私はこの事件によって受けた衝動（ショック）に打ち克（か）つことが出来よう。この航海日誌をつけ始めたとき、私はそれを終わりまで書かなければならないとは考えていなかった。私は人のいない船室（キャビン）でこれを書いている。今もなお時どきにびくりとしたり、または頭の上の甲板に死んだ人の神経的な速（はや）い跫音（あしおと）を聞くように思ったりして――。

私は今晩、かねて私の義務であったので、公正証書のために彼の動産表を作ろうと思って、船長室へはいってみると、すべての物は以前にはいった時と少しも変わっていなかった。ただ、かの婦人の水彩画だけが――これは船長の寝床のはしにかけられていたと言ったが――ナイフのようなものでその枠から切り取られて、ゆくえ知れずになっていた。これを不思議な証跡の連鎖となるべき最後のものとして、私は「北極星号」のこの航海日誌の筆を擱く。

（附記）――父のマリスターレー医師の注。――わたしは自分の忰の航海日誌に書かれている、北極星号の船長の死に関する不思議な出来事を通読した。すべての事がまさに記述のごとくに起こったということは、私の十分に信ずるところであり、また実際、最も正確なことである。というのは、彼は真実を語ることには最も慎重な注意を払うものであることを知っている。かつまた、この物語は一見非常に曖昧模糊としているところから、私は長い間その出版に反対していたのであるが、二、三日前、この問題について独立的な確実の証拠を握ったので、それによって新らしい光明があたえられることとなった。

わたしは英国医学協会の会合に出席するために、エジンバラへ行ったことがある。そこでドクトルP氏に出逢った。氏は古い大学の同窓生で、今はデボンシャーのサルタッシに開業しているのである。忰のこの経験談をわたしが物語ると、彼はその人をよく知っていると言った。さらに少なからず驚いたことには、私にかの船長の人相書をあたえた。それは船長がやや少し若く描かれているほかは、この日誌に記されたところと、まったく符合しているのである。彼の説明によれば、その船長はコーニッシ海岸に住んでいる非常に美しい若い婦人と許嫁の仲であった。ところが、彼が航海の留守中に、その婦人は奇怪なる恐怖が原因をなして死んでしまったというのであった。

廃宅

ホフマン

ホフマン　Ernst Theodor Amadeus Hoffmann

一七七六年一月二十四日、ドイツのコニグスベルグに生まる。少時は肖像画を描きつつ法律を学びたりと伝えらるるも、後年は小説の大家として知らる。一八二二年六月二十五日逝く。

諸君はすでに、わたしが去年の夏の大部分をX市に過ごしたことを御承知であろう――と、テオドルは話した。

そこで出逢った大勢の旧友や、自由な快闊な生活や、いろいろな芸術的ならびに学問上の興味――こうしたすべてのことが一緒になって、この都会に私の腰をおちつかせてしまったが、まったく今までにあんなに愉快なことはなかった。わたしは一人で街を散歩して、あるいは飾窓の絵や、塀のビラを眺め、あるいはひそかに往来の人びとの運勢をうらなったりして、私の若い時からの嗜好を満足させていた。

このX市には、町の門に達する広い並木の通りがあって、美しい建築物が軒をならべていた。いわばこの並木通りは富と流行の集合地である。宮殿のような高楼の階下は、贅沢品を売りつけようとあせっている商店で、その上のアパートメントには富裕な人たちが住んでいた。一流のホテルや外国の使節などの邸宅も、みなこの並木通りにあった。こう言えば、諸君はこうした町が近代的生活と悦楽との焦点になっていることを容易に想像するであろう。

私はたびたびこの並木通りを散歩しているうちに、ある日、ほかの建築物に比べて実に異様な感じのする一軒の家をふと見つけた。諸君、二つの立派な大建築に挟まれて、幅広の四つの窓しかない低い二階家を心に描いてごらんなさい。その二階はとなりの階下の天井より僅かに少し高いくらいで、しかも荒るるがままに荒れ果てた屋根や、ガラスの代りに紙を貼った窓や、色も何も失っている塀や、それらが何年もここに手入れをしないということを物語っていた。

これが富と文化の中心地のまんなかに立っているのであるから、実に驚くではないか。よく見ると、二階の窓に堅くドアを閉め切ってカーテンをおろしてあるばかりか、往来から階下の窓を覗かれないように塀を作ってあるらしい。隅の方についている門が入り口であろうが、掛け金や錠前らしいものもなければ、呼鈴さえもない。これは空家に相違ないと私は思った。一日のうち、なんどきそこを通っても、家内に人間が住んでいるらしい様子は更に見えなかった。

私がしばしば不思議な世界を見たと言って、自分の透視眼を誇っていることは、どなたもよく御承知であろう。そうして、諸君はそんな世界を常識から観て、あるいは否定し、あるいは一笑に付せらるるであろう。私自身もあとになって考えると、それが一向不思議でもなんでもないことを発見するような実例がしばしばあったことを、白状しなければならない。そこで今度も最初のうちは、私をおどろかすようなこの異様な廃宅もまた、いつもの例ではないかと考えたのである。しかしこの話の要点を聞けば、諸君もなるほどとうなずかれるに相違ない。まずこれからの話をお聴きください。

ある日、当世風の人たちがこの並木通りを散歩する時刻に、私は例によってこの廃宅の前に立って、じっと考え込んでいると、私のそばへ来て私を見つめている人のあることを突然に感じた。その人はP伯爵であった。伯爵は私にむかって、この空家はとなりの立派な菓子屋の工場である、階下の窓の塀はただ竈のためにこしらえたもので、二階の窓の厚いカーテンは商売物の菓子に日光が当たらないようにおろしてあるまでのことで、別になんの秘密があるわけでは無いと教えてくれた。

それを聞かされて、私はバケツの冷たい水をだしぬけにぶっかけられたように感じた。しかし、それが菓子屋の工場であるというP伯爵の話を何分にも信用することが出来なかった。それはあたかもお伽噺を聞いた子供が、本当にあったことだと信じていながらも、ふとした気まぐれにそれを嘘だと思ってみるような心持ちであった。しかし私は自分が馬鹿であるということに気がついた。かの家は依然としてその外形になんの変化もなく、いろいろの空想は自然に私の頭の中から消えてしまった。ところが、ある日偶然の出来事から再び私の空想が働き出すようになったのである。

　私はいつもの通りにこの並木通りを散歩しながら、かの廃宅の前まで来ると、無意識に二階のカーテンのおりている窓をみあげた。その時、菓子屋の方に接近している最後の窓のカーテンが動き出して、片手が、と思う間に一本の腕がその襞の間から現われた。私は早速にポケットからオペラグラスをとり出して見ると、実に肉付きのよい美しい女の手で、その小指には大きいダイヤモンドが異様にかがやき、その白いふくよかな腕には宝石をちりばめた腕環がかがやいていた。その手は妙な形をしたひょろ長いガラス罎を窓の張り出しに置いて、再びカーテンのうしろへ消えてしまった。

　それを見て、わたしは石のように冷たくなって立ち停まったが、やがて極度の愉快と恐怖とが入りまじったような感動が電流の温か味をもって、からだじゅうを流れ渡った。私はこの不思議な窓を見あげているうちに、おのずと心の奥から希望の溜め息があふれ出してきたのである。しかも再び我れにかえってみると、私の周囲には物珍らしそうな顔をして、かの窓をみあげている見物人がいっぱいに突っ立っているではないか。

　私は腹が立ったので、誰にも覚られないように、その人垣をぬけてしまった。すると、今度は常識という平凡きわまる悪魔めが私の耳のそばで、おまえが今見たのは日曜日の晴着(ぎ)を着た金持の菓子屋のおかみさんが、薔薇(ばら)香水か何かをこしらえるために使ったあきびんを窓の張り出しに置いただけのことだとささやき始めた。考えてみると、あるいはそうかもしれない。しかもそのとたんに、非常な名案が浮かんだので、私は路(みち)を引っ返して、鏡のように磨き立てた菓子屋の店へはいった。まずチョコレートを一杯注文して、それを悠(ゆう)ゆうと飲みながら、私は菓子屋の職人に言った。

「君は隣りにうまい建物を持っているじゃあないか」

相手は私の言葉の意味がわからないと見えて、帳場に寄りかかりながら怪訝(けげん)らしい微笑を浮かべて私を見ているので、私はあの空家を工場にしているのは悧口(りこう)なやりかただと、私の意見をくり返して言った。

「ご冗談でしょう、旦那。いったい隣りの家がわたしたちの店の物だなんて、誰からお聞きになったんです」と、職人は口を切った。

わたしが探索の計画は不幸にして失敗したのである。しかし、この男の言葉から察すると、あの空家には何かの曰(いわ)くがあるらしいような気もするのであった。諸君は私がこの男から、かの廃宅について左のような話を聞き出して、どんなに愉快を感じたかを想像することが出来るであろう。

「わたしもよくは知りませんが、なんでもあの家はZ伯爵の持ち物だということだけはたしかです。伯爵の令嬢は当時ご領地の方に住んでいて、もう何年もここへお見えになりません。人の話を聞くと、あの家もまだ当今のような立派な建物ができない昔には、なかなか洒落たお邸で、この並木通りの名物だったそうでしたが、今じゃあもう何年となく空家同様に打っちゃらかしてあるんです。それでもあすこには、人に逢うのが嫌いだという偏屈な執事の爺さんと、馬鹿に不景気な犬がいましてね。犬の奴め、時どきに裏の庭で月に吠え付いていていますよ。世間じゃあ幽霊が出るなんて言っていますが、実のところ、この店を持っているわたしの兄貴とわたしとが、まだ人の寝しずまっている頃から起きて、菓子の拵えにかかっていると、塀の向う側で変な音のするのを毎日聞くことがありますが、それがごろごろというように響くかと思うと、また何か掻きむしるような音がして、なんともいえない忌な心持ちがしますよ。ついこの間なども、変な声でなんだか得体のわからない唄を歌っていました。それがたしかに婆さんの声らしいんですけれど、そのまた調子が途方もなく甲高で、わたしもずいぶんいろいろの国の歌い手の唄を聴いたことがありますが、今まであんな調子の高い声は聴いたことがありません。自然に身の毛がよだってきて、とてもあんな気ちがいじみた化け物のような声をいつまで聴いてはいられなかったので、よくはっきりとはわかりませんが、どうもそれがフランス語の唄のように思われました。それからまた、往来のとぎれた真夜中に、この世のものとは思われないような深い溜め息や、そうかと思うと、また気ちがいのような笑い声がきこえてくることもあるんです。なんなら、旦那。わたしの家の奥の部屋の壁に耳を当ててごらんなさい。きっと隣りの家の音がきこえますすよ」

こう言って、彼はわたしを奥の部屋へ案内して、窓から隣りを指さした。

「そこの塀から出ている煙突が見えましょう。あの煙突から時どき猛烈に煙りを噴き出すので、どうも火の用心が悪いといって、家の兄貴がよくあの執事と喧嘩をすることがあるんです。それがまた、冬ばかりじゃあない、てんで火の気なんぞのいらないような真夏でさえもなんですからね。あの老爺は食事の支度をするんだと言っているんです。あんな獣物が何を食うんだか知りませんけれど、煙突から煙りがひどく出るときには、いつでも家じゅうに変な匂いがするんですよ」

ちょうどその時に店のガラス戸があいたので、菓子屋の職人は急いで店の方へ出て行って、今はいって来た客に挨拶しながら、ちらりと私の方を見かえって眼顔で合図したので、私はすぐにその客が例の不思議な邸の執事であることを直覚した。鷲鼻で、口を一文字に結んで、猫のような眼をして、薄気味の悪い微笑を浮かべて、木乃伊のような顔色をしている、痩形の小男を想像してごらんなさい。さらに彼はその髪に古風な高い髱を入れて、その先きをうしろに垂らした上に、こてこてと髪粉をつけ、ブラシはよく掛けてあるがもうよほどの年数物らしい褐色の上衣(うわぎ)をきて、灰色の長い靴下に、バックルのついた爪さきの平たい靴をはいている。彼は痩せているにもかかわらず、すこぶる頑丈な骨ぐみをして、手は大きく、指は長く、かつ節高(ふしだか)で、しっかりした足取りで帳場の方へ進んで行ったが、やがてどことなく間のぬけたような笑いを見せながら「砂糖漬けのオレンジを二つと巴旦杏(はたんきょう)を二つと、砂糖のついた栗を二つ」と鼻声で言う、この小男の老人の姿をこころに描いてごらんなさい。

菓子屋の職人は私に微笑を送りながら、老人の客に話しかけた。

「どうもあなたはお加減がよろしくないようですね。これもお年のせいとでもいうんでしょうな。どうもこの年というやつは、われわれのからだから力を吸い取るんでね」

老人はその顔色を変わらせなかったが、その声を張りあげた。

「年のせいだと……。年のせいだと……。力がなくなる……。弱くなる……。おお……」

彼はその関節が砕けるかと思うばかりに両手を打ち鳴らすと、店全体がびりびりと震えて、棚のガラス器や帳場はがたがたと揺れた。それと同時に、ものすごい叫び声がきこえたので、老人は自分のあとからついて来て足もとに寝ころんでいる黒犬に近寄った。

「畜生！　地獄の犬め」

例の哀れな調子で唸(うな)るように吼鳴りながら、栗一つを袋から出して犬に投げてやると、かれは人間のような悲しそうな声を出したが、急におとなしく坐って、栗鼠のようにその栗をかじり始めた。やがて犬が小さな御馳走を平らげてしまうと、老人もまた自分の買物を済ませた。

「さようなら」と、老人はあまりの痛さに相手が思わずあっと言ったほどに、菓子屋の職人の手を強く握りしめた。「弱い年寄りは、おまえさんがいい夢をみるように祈っているよ、お隣りの大将」

老人は犬を連れて出て行った。彼は私に気がつかないらしかった。私はあきれたようにただ茫然と見送っていると、職人はまた話し出した。

「どうです、ごらんの通りです。月に二、三度ここへ来るたびに、いつもきまってあんなふうなんです。あの爺さんについていくら探してみても、以前はZ伯爵の従者で、今はあの邸の留守番をして、何年もの長い間、主人一家の来るのを待っているのだということだけしか分からないんです」

時はあたかも町の贅沢な人たちが一種の流行で、この綺麗な菓子屋へあつまって来る刻限になってきたので、入り口のドアは休みなしにあいて、店の中ががやがやし始めたので、私はもうこれ以上にたずねるわけにはゆかなくなった。

わたしはさきにP伯爵があの廃宅について話したことが全然嘘であることを知った。あの人嫌いの老執事は不本意ながらも他の人間と一緒に住んでいて、その古い壁のうしろには何かの秘密が隠されているということを知った。それにしても、あの窓ぎわの美しい女の腕と、気味の悪い不思議な唄の声のぬしとをどう結び付けたものであろうか。あの腕が年を取った女の皺だらけのからだの一部であろうはずがない。しかし菓子屋の職人の話では、唄の声は若い血気盛りの女性の喉から出るものでもないらしい。わたしはそれを贔屓眼に見て、これはきっと音楽の素養によって若い女がわざと年寄りらしい声を作ったものか、あるいは菓子屋の職人が恐怖のあまりに、そんなふうに聞き誤まったのではないかと、判断をくだしてみた。

しかし、かの煙突の煙りのことや、異様な匂いや、妙な形のガラス壜のことが心に泛かんだとき、宿命的な魔法の呪縛にかかっている美しい一人の女の姿が、生けるがごとくにわたしの幻影となって現われてきた。そうして、かの執事は伯爵家とはまったく無関係の魔法使いで、あの廃宅のうちに何か魔法の竈を作っているのではないかとも思われてきた。わたしのこうした空想はだんだんに逞ましくなって、その晩の夢に、かのダイヤモンドのきらめく手と、腕環のかがやく腕とを、ありありと見るようになった。薄い灰色の靄のうちから哀願しているような青い眼をした、可憐な娘の顔が見えたかと思うと、やがてその優しい姿があらわれた。そうして、わたしが靄だと思ったのは、まぼろしの女の手に握られているガラス壜のうちから、輪を作って湧き出している美しい煙りであった。

「ああ、わたしの夢に現われてきた美しいお嬢さん」と、わたしは張りさけるばかりに叫んだ。「あなたはどこにいるのです。何があなたを呪縛しているのです。それをわたしに教えてください。いや、私はみな知っています。あなたを監禁しているのは、腹黒い魔法使いです。八分の五の調子で悪魔の唄を歌ったあとで、褐色の着物に仮髪をつけて、菓子屋の店をうろつきあるいて、自分たちの食いものを素早く掻きあつめ、栗をもって悪魔の弟子の犬めを飼っている、あの意地悪な魔法使いに囚われて、あなたは不運な奴隷となっているのです。美しい、愛らしいまぼろしのあなたよ、わたしは何もかも知っています。あのダイヤモンドはあなたの情火の反映です。しかもあの腕にはめている腕環こそは、あなたを縛る魔法の鎖です。その腕環を信じてはいけません。もう少し我慢なさい。きっと自由の身になれます。どうぞあなたの薔薇の蕾のような口をあいて、あなたの居どころを教えてください」

　このとき節くれ立った手がわたしの肩越しにあらわれて、たちまちガラス壜をたたきつけたので、壜は空中で微塵にくだけて散乱し、弱い悲しそうなうめき声とともに、可憐の幻影はたちまち闇のうちに消え失せた。

夜が明けて、わたしは夢から醒めると、急いで並木通りへ行って、いつものようにそれとなく例の廃宅を窺っていると、菓子屋に接した二階の窓にぴかりと何か光ったものがあった。近寄ってみると鎧戸(よろいど)があいて、細目にあけたカーテンの隙間(すきま)からダイヤモンドの光りがわたしの眼を射た。

「や、しめたぞ」

夢のうちで見たかの娘が、ふくよかな腕に頭をもたせかけながら、しとやかに哀願するように私の方を見ているではないか。しかし、この激しい往来なかに突っ立っていると、またこの間のように人目に立つおそれがあるので、わたしはまず家の真正面にある歩道のベンチに腰をかけて、しずかに不思議な窓を見守ると、彼女はたしかに夢の女であるが、わたしの方を見ていると思ったのは間違いで、彼女はどこを見るともなしにぼんやりと下を見おろしているのであった。その眼(まな)ざしはいかにも冷やかで、もし時どきに手や腕を動かさなかったらば、わたしはよく描けている画を見ているのではないかと思うくらいであった。

私はこの窓の神秘的な女性にたましいを奪われてしまって、私のそばへ押し売りに来たイタリー人の物売りの声などは耳に入らないほどに興奮していた。そのイタリー人はとうとう私の腕をたたいたので、私ははっと我れにかえったが、あまりに忌いましかったので、おれにかまうな、あっちへ行けと言ってやったが、まだ口明けだからと執拗く言うので、早く追い払おうと思ってポケットの金を出しにかかると、彼は言った。

「旦那。こんなに素敵な物があるんです」

彼は箱の抽斗から小さな円い懐中鏡をとり出して、わたしの鼻のさきへ突きつけたので、なんの気もなしに見かえると、その鏡のなかには廃宅の窓も、かのまぼろしの女の姿も、ありありと映っているではないか。

私はすぐにその鏡を買った。そうして、鏡のなかの彼女の姿を見れば見るほど、だんだんに不思議な感動に打たれてきた。じっと瞳をこらして鏡のなかを見つめていると、さながら嗜眠病がわたしの視力を狂わせてしまったようにも思われてきた。まぼろしの女はとうとうその美しい眼をわたしの上にそそいだ。その柔らかい眼の光りがわたしの心臓にしみとおってきた。

「あなたは可愛らしい鏡をお持ちですな」

こういう声に夢から醒めて、わたしは鏡から眼を離すと、わたしの両側には微笑をうかべながら私を眺めている人たちがあるので、私もすこぶる面喰らってしまった。かの人たちはわたしと同じベンチに腰をかけて、おそらく私が妙な顔をして鏡をながめているのをおもしろがって見物していたのであろう。

「あなたは可愛らしい鏡をお持ちですな」

私がさきに答えなかったので、その人は再びおなじ言葉をくりかえした。

しかも、その人の眼つきはその言葉よりも更に雄弁に、どうしておまえはそんな気違いじみた眼つきをしてその鏡に見惚(みと)れているかと、わたしに問いかけているのであった。その男はもう初老以上の年輩の紳士で、その声音(こわね)や眼つきがいかにも温和な感じをあたえたので、私は彼に対して自分の秘密を隠してはいられなくなった。私はかの窓ぎわの女を鏡に映していたことを打ち明けた上で、あなたもその美しい女の顔を見なかったかと訊いた。

「ここから……。あの古い邸の二階の窓に……」

その老紳士は驚いたような顔をして、鸚鵡(おうむ)がえしに問いかえした。

「ええ、そうです」と、私は大きい声を出した。

老紳士は笑いながら答えた。

「や、どうも、それは不思議な妄想ですな。いや、こうなると私の老眼を神様に感謝せざるを得ませんな。なるほど私もあの窓に可愛らしい女の顔を見ましたがね。しかし、私の眼には非常に上手な油絵の肖像画としか見えませんでしたがね」

わたしは急いで振り返って、窓の方をながめると、そこには何者もいないばかりか、鎧戸もしまっていた。

老紳士は言葉をつづけた。

「惜しいことでしたよ。もうちっと早ければようござんしたに……。ちょうどいま、あの邸にたった一人で住んでいる老執事が、窓の張り出しに油絵を立てかけて、その塵埃(ほこり)を払って、鎧戸をしめたところでした」

「では、ほんとうに油絵だったのですか」と、私はどぎまぎしながら訊きかえした。

「ご安心なさい」と、老紳士は言った。「わたしの眼はまだたしかですよ。あなたは鏡に映った物ばかり見つめていられたから、よけいに眼が変になってしまったのです。私もあなたぐらいの時代には、よく美人画を思い出しただけで、大いに空想を描くことができたものでした」

「しかし、手や足が動きました」と、わたしは叫んだ。

「そりゃ動きました。たしかに動きましたよ」

老紳士はわたしの肩を軽く叩いて、起(た)ちあがりながら丁寧にお辞儀をした。

「本物のように見せかける鏡には、気をつけたほうがようござんすよ」

こう言って、彼は行ってしまった。

あのおやじめ、おれを馬鹿な空想家扱いにしやあがったなと、こう気がついた時の私の心持ちは、おそらく諸君にもわかるであろう。わたしは腹立ちまぎれに我が家へ飛んで帰って、もう二度とあの廃宅のことは考えまいと心に誓った。しかし、かの鏡はそのままにして、いつもネクタイを結ぶときに使う鏡台の上に抛り出しておいた。

ある日、わたしがその鏡台を使おうとして、なんの気もなしにかの鏡に眼を留めると、それが曇っているように見えたので、手に取って息を吹きかけて拭こうとする時、私の心臓は一時に止まり、わたしの細胞という細胞が嬉しいような、怖ろしいような感激におののき出した。私がその鏡に息を吹きかけた時、むらさきの靄の中から、かのまぼろしの女がわたしに笑いかけているではないか。諸君は、わたしを懲り性のない夢想家だと笑うかもしれないが、ともかくもその靄が消えるとともに、彼女の顔も玲瓏たる鏡のなかへ消え失せてしまったのである。

それから幾日のあいだの私の心持ちを今更くどく説明して、諸君を退屈させることもあるまい。ただそのあいだに私はいくたびか、かの鏡に息をかけてみたが、まぼろしの女の顔が現われる時と現われない時とがあったことだけを断わっておきたい。

彼女を呼び起こすことの出来ない時には、私はいつも、かの廃宅の前へ飛んで行って、その窓を眺め暮らしていたが、もうそこらには人らしいものも見当たらなかった。私はもう友達も仕事もまったく振り捨てて、朝から晩まで気違いのようになって、まぼろしの女のことを思いつめていた。こんなくだらないことはやめようと思いながらも、それがどうもやめられないのであった。

ある日、いつもより激しくこの幻影におそわれた私は、かの鏡をポケットに入れると、精神病の大家のK博士のもとへ急いで行った。わたしは一切の話を包まず打ち明けて、この怖ろしい運命から救ってくれと哀願すると、静かに私の話を聴いていた博士の眼にも、一種の驚愕（おどろき）の色がひらめいた。

「いや、そう御心配のことはないでしょう。まあ、私の考えではじきに癒（なお）ると思いますよ。あなたは自分から魔法にかかっていると思い込んで、それと戦おうとしているがために、かえって妄念が起こるのです。まずあなたのその鏡を私のところへ置いていって、専心にお仕事に没頭なさるようにお努めなさい。そうして、忘れても並木通りへは足を向けないようにして、一日の仕事をしてから長い散歩をしては、お友達の一座と楽しくお過ごしなさい。食事は十分に摂（と）って、営養のゆたかな葡萄酒をお飲みなさい。これから私は、その廃宅の窓や鏡に現われる女の顔の執念ぶかい幻影と戦って、あなたを心身ともに丈夫にしてあげるつもりですから、あなたも私の味方をする気になって、わたしの言う通りを守って下さい」と、博士は言った。

渋しぶながらに鏡を手放した私の態度を、博士はじっと見ていたらしかった。それから博士はその鏡に自分の息を吹きかけて、それを私の眼の前へ持って来た。

「何か見えますか」

「いいえ、なんにも」と、私はありのままを答えた。

「では、今度はあなた自身がこの鏡に息をかけてごらんなさい」と、博士はわたしの手に鏡をわたした。

わたしは博士の言う通りにすると、女の顔が鏡のなかにありありと現われて来た。

「あっ。女の顔が……」という私の叫び声に、博士は鏡のなかを見て言った。

「私にはなんにも見えませんね。しかし実を言うと、鏡を見たときに私もなんとなくぶるぶる悪寒がしました。もっとも、すぐになんでもなくなりましたが……。では、もう一度やって見てください」

私はもう一度その鏡に息を吹きかけると、そのとたんに博士はわたしの頸のうしろへ手をやった。女の顔は再び現われた。わたしの肩越しに鏡に見入っていた博士はさっと顔色を変えて、私の手からその鏡を奪うように引っ取って、細心にそれを検めていたが、やがてそれを机の抽斗に入れて錠をかけてしまった。それからしばらく考えたのちに、彼はわたしの所へ戻って来た。

「では、早速にわたしの指図通りにして下さい。実のところ、どうもまだあなたの幻影の根本が呑み込めないのですが、まあ、なるたけ早くあなたにそれを知らせることが出来るようにしたいと思っています」と、博士は言った。

博士の命令どおりに生活するのは、私にとって困難なことではあったが、それでも無理に実行すると、たちまちに規則正しい仕事と営養物の効果があらわれて来た。それでもまだ昼間も――静かな真夜中には特にそうであったが――怖ろしい幻影に襲われることもあり、愉快な友達の一座にいて、酒を飲んだり、歌を唄ったりしている時ですらも、灼けただれた匕首がわたしの心臓に突き透るように感じる時もあった。そういう場合には、わたしの理性の力などは何の役にも立たないので、よんどころなくその場を引き退がって、その昏睡状態から醒めるまでは再び友達の前へ出られないようなこともあった。

ある時、こういう発作が非常に猛烈におこって、かの幻影に対する不可抗力的の憧憬がわたしを狂わせるようになったので、私は往来へ飛び出して不思議な家の方へ走ってゆくと、遠方から見た時には、固くとじられた鎧戸の隙間から光りが洩れているらしく思われたが、さて近寄って見ると、そこらはすべて真っ暗であった。わたしはいよいよ取りのぼせて入り口のドアに駈けよると、そのドアはわたしの押さないうちにうしろへ倒れた。重い息苦しい空気のただよっている玄関の、うす暗い灯のなかに突っ立って、私は異常の怖ろしさと苛立たしさに胸をとどろかせていると、たちまちに長い鋭いひと声が家のなかでひびいた。それは女の喉から出たらしい。それと同時に、わたしは封建時代の金色の椅子や日本の骨董品に飾り立てられて、まばゆいばかりに照り輝いている大広間に立っていることを発見した。わたしのまわりには強い薫りが紫の靄となってただよっていた。

「さあ、さあ、花聟さま。ちょうど、結婚の時刻でござります」

女の声がした時に、私は定めて盛装した若い清楚な貴婦人が紫の靄のなかから現われて来るものと思った。

「ようこそ、花聟さま」と、ふたたび金切り声がひびいたと思う刹那、その声のぬしは腕を差し出しながら私のほうへ走って来た。寄る年波と狂気とで醜くなった黄色い顔がじっと私に見入っているのである。私は怖ろしさのあまりに後ずさりをしようとしたが、蛇のように炯けいとした鋭い彼女の眼は、もうすっかり私を呪縛してしまったので、この怖ろしい老女から眼をそらすことも、身をひくことも出来なくなった。

彼女は一歩一歩と近づいて来る。その怖ろしい顔は仮面であって、その下にこそまぼろしの女の美しい顔がひそんでいるのではないかという考えが、稲妻のように私の頭にひらめいた。その時である。彼女の手が私のからだに触れるか触れないうちに、彼女は大きい唸り声を立てて私の足もとにばたりと倒れた。

「ははは。悪性者めがおまえの美しさにちょっかいを出しているな。さあ、寝てしまえ、寝てしまえ。さもないと鞭だぞ。手ひどいやつをお見舞い申すぞ」

こういう声に、私は急に振り返ると、かの老執事が寝巻のままで頭の上に鞭を振り廻しているではないか。老執事はわたしの足もとに唸っている彼女を、あわやぶちのめそうとしたので、私はあわててその腕をつかむと、老執事は振り払った。

「悪性者め、もしわしが助けに来なければ、あの老いぼれの悪魔めに喰い殺されていただろうに……。さあ、すぐにここを出て行ってもらおう」と、彼は呶鳴った。

わたしは広間から飛んで出たが、なにしろ真っ暗であるので、どこが出口であるか見当がつかない。そのうちに私のうしろでは、ひゅうひゅうという鞭の音がきこえて、女の叫び声がひびいて来た。

たまらなくなって、私は大きい声を出して救いを求めようとした時、足もとの床がぐらぐらと揺れたかと思うと、階段を四、五段もころげ落ちて、いやというほどにドアへ叩きつけられながら、小さい部屋のなかへ俯伏せに倒れてしまった。そこには今あわてて飛び出したらしい空の寝床や、椅子の背に掛けてある褐色の上衣があるので、私はすぐにここが老執事の寝室であることをさとった。すると、あらあらしく階段を駆け降りて来た老執事は、いきなり私の足もとにひれ伏して言った。

「あなたがどなたさまにもしろ、また、どんなことをしてあの下司女（げすおんな）の悪魔めがあなたをこの邸内へ誘い込んだにもしろ、どうぞここで起こった出来事を誰にもおっしゃらないでください。わたくしの地位にかかわることでございます。あの気違いの夫人は懲らしめのために、寝床にしっかりと縛りつけておきました。もうすやすやと睡っております。今晩は暖かい七月の晩で、月はございませんが、星は一面にかがやいております。では、お寝（やす）みなさい」

彼はわたしに哀願したのち、ランプを取って部屋を出て、私を門の外へ押し出して錠をおろしてしまった。わたしは気違いのようになって我が家へ急いで帰ったが、それから四、五日は頭がすっかり変になって、この恐ろしい出来事をまったく考えることが出来なかった。ただ、あんなに長い間わたしを苦しめていた魔法から解放されたということだけは、自分にも感じられた。したがって、かの鏡に現われた女の顔に対する私の憧憬の熱もさめ、かの廃宅における怖ろしかった光景の記憶も、単に何かの拍子に瘋癲（ふうてん）病院を訪問したぐらいの追憶になってしまった。

かの老執事が、この世の中からまったく隠されている高貴な狂夫人の暴君的な監視人であることは、もう疑う余地もなかった。それにしても、あの鏡はなんであろう。今までのいろいろの魔法はなんであろう。まあ、これから私が話すことを聴いてください。

　それからまた四、五日ののち、わたしはP伯爵の夜会にゆくと、伯爵は私を片隅に引っ張って来て、「あなたはあの廃宅の秘密が洩れ出したのをご存じですか」と、微笑を浮かべながら話しかけた。

　私はこれに非常に興味を感じて、伯爵がそのあとをつづけるのを待っていると、惜しいことにちょうど食堂が開かれたので、伯爵もそのまま黙ってしまった。私も伯爵の言葉を夢中になって考えながら、ほとんど機械的に相手の若い娘さんに腕をかして、社交的な行列のなかに加わった。

　そうして、私は定められた席へその娘さんを導いてから、はじめてその娘さんの顔をみると、いや、驚いた、かのまぼろしの女がわたしの眼の前に突っ立っているではないか。私は心の底まで顫(ふる)えあがったが、かの幻影に悩まされていた当時のように、気違いじみた憧憬は少しも起こって来なかった。それでも相手の娘さんがびっくりしたように私の顔をじいっと眺めているのを見ると、私の眼にはやはり恐懼(きょうく)の色が現われていたに相違なかった。私はやっとのことで気をしずめると、てれ隠しに、あなたには以前どこかでお目にかかったような気がしますがと言うと、意外にも、生まれてから初めてきのうこのX市に来たばかりですと、相手にあっさりと片づけられてしまったので、私の頭はよけいに混乱して、婦人に不作法ではあったが、そのままに黙っていた。しかも彼女の優しい眼で見られると、わたしは再び勇気が出て、この新しい相手の娘さんの心の動きを観察してみたいような気にもなってきた。たしかにこの娘さんは、可愛らしいところはあるが、何か心に屈託がありそうにも見えた。おたがいの話がだんだんはずんできた時分に、わたしは大胆に辛辣な言葉を時どきに用いると、いつも微笑していたが、その蔭にはあたかも傷口に触れられた時のような苦悩がひそんでいるようであった。

「お嬢さん、今夜は馬鹿にお元気がないようですが、けさお着きでしたか」と、私のそばに坐っていた士官がその娘さんに声をかけた。

その言葉がまだ終わらないうちに、彼のとなりにいる男が士官の腕をつかんで何かその耳にささやいた。すると、また食卓の反対の側では、ひとりの婦人が興奮して顔をまっかにしながら、ゆうべ観て来た歌劇の話を大きな声で語り始めた。こうした愉快そうな環境が彼女の淋しい心にどう響いたのか、その娘さんの眼には涙がこみあげてきた。

「わたし、馬鹿ですわね」と、彼女はわたしの方を向いて言った。それからしばらくして彼女は頭痛がすると言い出した。

「なァに、ちょっとした神経性の頭痛でしょう。この甘美な、詩人の飲料（シャンパン酒）の泡のなかでぶくぶくいっている快活なたましいほど、よく効く薬はありませんよ」

と、私は心安だてにこう言いながら、彼女のグラスにシャンパンを一杯に注いでやると、彼女はちょっとそれに唇(くち)をつけて、わたしのほうに感謝の眼を向けた。

彼女の気分は引き立ってきたらしく、このままでいったら何もかも愉快に済んだかもしれなかったのであるが、私のシャンパン・グラスがふとしたはずみで彼女のグラスと触れた刹那、彼女のグラスから異様な甲高(かんだか)い音が発したので、彼女もわたしも急に顔色を変えた。それはかの廃宅の気違い女の声の響きとまったく同様であったからであった。

コーヒーが出てから、私はうまく機会を作ってP伯爵のそばへ行くと、伯爵は私のこの行動を早くもさとっていた。

「あなたは隣りの婦人がエドヴィナ伯爵家の令嬢であることを知っていますか。それから、長いあいだ不治の精神病に苦しみながらあの廃宅に住んでいるのが、あの娘さんの伯母であるということを知っていますか。あの娘さんは、けさ母親と一緒に不幸な伯母に逢いに来たのです。あの狂夫人の暴れ狂うのを鎮(しず)めることの出来るものは、かの老執事のほかになかったのですが、そのただひとりの人間がにわかに重病にかかったというわけです。なんでもあの娘さんの母親はK博士に伺って、あの家の秘密を打ち明けたそうですよ」

K博士――その名はすでに諸君も御承知のはずである。そこで言うまでもなく、私は少しも早くその謎を解くために博士の宅を訪問して、私の安心が出来るように、くわしくかの狂女の話をしてくれと頼んだ。以下は、秘密を守るという約束で、博士がわたしに話してくれた物語である。

アンジェリカ――Z伯爵令嬢はすでに三十の坂を越えていたが、まだなかなかに美しかったので、彼女よりもずっと年下のエドヴィナ伯爵は熱心に自分の恋を打ち明けた。そうして、二人はその運だめしに父Z伯の邸へ行くことになった。ところが、エドヴィナ伯爵はその邸へはいってアンジェリカの妹をひと目見ると、姉の容色が急に褪せてきたように思われて、彼女に対する熱烈な恋は夢のように覚めてしまい、さらに妹のガブリエルとの結婚を父の伯爵に申し込んだのである。Z伯爵は妹娘もエドヴィナ伯爵を憎く思っていないのを知って、すぐに二人の結婚を許した。

姉のアンジェリカは男の裏切りを非常に怨んだが、表面はいかにも彼を軽蔑したように、「なァに、伯爵はわたしの鼻についた玩具であったということをご存じないんだわ」と言っていた。しかもガブリエルとエドヴィナ伯爵の婚約式が済んでからは、アンジェリカは一家の団欒の席に顔をみせないことも少なくなかった。それのみならず、彼女は食堂にも出ないで、ほとんど一日を森の中の独り歩きに暮らしていた。

ここに一つの異様な事件がこの城における単調な生活を破った。ある日、村の百姓のうちから選抜されたZ伯爵家の猟人らが、最近にとなりの領地で殺人や窃盗をもって告訴されたジプシーの一団を捕縛して、男たちは鎖につなぎ、女子供は馬車に乗せて城の中庭へ引っ立てて来た。女のジプシーの群れの中では、頭から足のさきまで真っ赤な肩掛を着た一人のひょろ長い、痩せこけた、ものすごい顔の老婆がすぐに目についた。その老婆は馬車のなかに立って、いかにも横柄な声で自分を馬車から降ろせと命令するように言い放つと、その態度に恐れをなして、伯爵の家来たちはすぐにその老婆を降ろしてやった。

Z伯爵は中庭へ降りて来て、この囚人団を城の地下室の牢獄へ繋ぐように命じた。そのとたんに、髪を乱し、恐怖の色をその顔にみなぎらしたアンジェリカが邸の内から走り出て、父の足もとにひざまずいた。

「あの人たちを赦してやってください、お父さま。あの人たちを赦してやってください。もしお父さまがあの人たちの血一滴でもお流しになれば、わたしはこのナイフで、わたくしの胸を突き透します」

ナイフを打ち振りながら鋭い声でこう叫ぶと、そのまま気を失ってしまった。

「そうですとも、そうですとも、お美しいお嬢さま。私はあなたが私たちをお助けくださることをよく存じております」

こう金切り声で叫んだのち、ジプシーの老婆は何か口の中でつぶやきながら、アンジェリカのからだに伸しかかって、胸が悪くなるような接吻を彼女の顔といわず胸といわず浴びせかけた。それから肩掛けのポケットから、小さい金魚が銀の液体のなかで泳いでいるように見えるガラスの小壜を取り出して、アンジェリカの胸のところへ持ってゆくと、たちまちに彼女は意識を回復した。彼女は眼を老婆の上にそそぐと、やにわにがばと身を起こして老婆を抱きかかえ、疾風のごとくに城内へ連れ去ってしまったので、Z伯爵をはじめ、途中から出て来た妹のガブリエルも、その恋人のエドヴィナ伯爵も、あまりの驚異に身の毛をよだてた。Z伯爵はともかくもその囚人たちの鎖をはずさせて、みな別べつの牢獄へ入れさせた。

　翌朝、Z伯爵は村びとを召集して、その面前でジプシーらには罪のないことを宣告した上、自分の領地の通過券を渡してやったが、その解放されたジプシーの一団のうちには、かの真っ赤な肩掛けを着た老婆の姿は見えなかった。きっと金鎖を頸に巻いて、スペイン風の帽子に赤い羽をつけているジプシーの親方が、前の夜ひそかに伯爵の部屋を訪問して、伯爵に頼み込んだのであろうと、村びとらはささやき合っていた。実際ジプシーらが去ってのち、かれらは殺人でも窃盗でもないことが分かった。

　ガブリエルの結婚式の日はいよいよ近づいてきた。ある日、中庭へ数台の荷馬車を挽き込んで、それに家財道具や衣裳類を山のように積んであるのを見て、ガブリエルはびっくりした。次の日、Z伯爵はいろいろの事情から、アンジェリカがX市の別邸に自分ひとりで暮らしたいという申し出でを許したということを、ガブリエルに言って聞かせた。伯爵はその別邸を姉娘にあたえ、家族の者はもちろん、父の伯爵でさえ彼女の許可なくしてはその別邸へ出入りをしないということを、彼女に誓った。それからまた伯爵は、彼女の切なる願いによって、自分の家僕を彼女の家事取締りのために付けてやることをも承諾した。

結婚式は無事に済んだ。エドヴィナ伯爵と花嫁のガブリエルは自分たちの邸で水入らずの幸福な生活を営んだ。ところが、不思議なことには、何か秘密な悲しみが生命をむしばんで、快楽と精力とを奪い去ってゆくかのように、エドヴィナ伯爵の健康は日ごとに衰えてきた。新妻のガブリエルは夫の心配の原因をどうかして探り知ろうとして、あらゆる手段を尽くしてみたが、それはみな徒労であった。そのうちにエドヴィナ伯爵は、このままでは自然に喰い入ってくる呪いのために執り殺されてしまうのを恐れて、医者の指図するがままに断然その邸をあとにして、ピザへ出発した。そのおり彼の新妻は身重であったので、夫と一緒に旅立つことが出来なかった。

「以上はガブリエル夫人が私に打ち明けた物語であるが、それはあまりに狂気じみているので、よほど鋭い観察力をもってしなければ、話の連絡をつかむことが出来ないくらいであった」と、博士は注を入れて、また話した。

ガブリエル夫人は、夫の不在中に女の子を生んだが、間もなくその赤ん坊は邸内から何者にか攫われて、八方手を尽くしてたずねたが、ついにその行くえが知れなかった。母親の夫人の悲歎は傍の見る目も憐れなくらいであったところへ、搗てて加えて父のZ伯爵から、ピザにいるはずのエドヴィナ伯爵がX市のアンジェリカの邸で煩悶をかさねて瀕死の状態にあるという手紙に接して、夫人はほとんど狂気せんばかりになった。

夫人は産褥から離れるのを待って、父の城へ馳せつけた。ある晩、彼女は生き別れの夫や赤ん坊の安否を案じわびて、どうしても眠られないでいると、気のせいか寝室のドアの外でかすかに赤児の泣くような声が聞こえるので、灯をともしてドアをあけて見ると、思わず彼女はぎょっとしたのである。ドアの外には真っ赤な肩掛けのジプシーの老婆が這いつくばいながら、「死」をはめ込んだような眼でじっと彼女を見つめているばかりか、その腕には夫人を呼びさまさせた声のぬしの、赤ん坊を抱えていた。あっ！　私の娘だ――夫人はジプシーの老婆の腕から奪い取った我が子を、嬉しさに高鳴りするわが胸へしっかりと抱きしめた。

夫人の叫び声におどろかされて、家人が起きてきた時には、ジプシーの老婆はもう冷たくなっていて、いくら介抱しても息を吹きかえさなかった。

Z老伯爵はこの孫にかかわる不可思議な事件の謎が少しでも解けはしまいかと、急いで

X市のアンジェリカの邸へ行った。今では彼女の気違いざたに驚いて女中はみな逃げてしまって、かの執事だけがただ一人残っていた。老伯爵がはいった時には、アンジェリカは平静であり、意識も明瞭であったが、孫の物語が始まると、彼女は急に手を打って大声で笑いながら叫んだ。

「まあ、あの小娘は生きていましてて……。あなた、あの小娘を埋めてくださいましたでしょうね、きっと……」

老伯爵はぞっとして、自分の娘はいよいよ本物の気違いであることを知ると、執事の止めるのも聞かずに、彼女を連れて領地へ帰ろうとした。ところが、彼女をこの家から連れ出そうとすることをちょっとほのめかしただけで、アンジェリカはにわかに暴れ出して、彼女自身の命どころか、父親の命までがあぶないほどの騒ぎを演じた。

ふたたび正気にかえると、彼女は涙ながらに、この家で一生を送らせてくれと父親に哀願した。老伯爵はアンジェリカの告白したことは、みな狂気の言わせるでたらめだとは思ったが、それでも娘の極度の悩みに心を動かされて、その申し出を許してやった。その告白なるものは、エドヴィナ伯爵は自分の腕に帰ってきて、ジプシーの老婆が父の邸へ連れて行った子供は、エドヴィナ伯爵と自分との仲に出来た子供だというのであった。X市には、Z伯爵が哀れな姉娘を城へ連れて帰ったという噂が立ったが、その実、アンジェリカは依然として例の執事の監視のもとに、かの廃宅に隠されていたのであった。
Z伯爵は間もなく世を去ったので、ガブリエル夫人は父の亡きあとの家庭を整理するためにX市に戻ってきた。もちろん、彼女が姉のアンジェリカに逢えば、かならず何かの騒動がおこるに決まっているので、ガブリエル夫人は不幸な姉に逢わなかった。しかも、その夫人は不幸な姉を老執事の手から引き離さなければならないことに気がついたと言っていたが、その理由は私にも打ち明けなかった。ただいろいろのことから帰納的に想像して、かの老執事が女主人公の暴れ出すのを折檻(せっかん)して取り鎮めるとともに、彼女が金を造り得るという妄信に釣り込まれて、彼女のものすごい試験の助手を勤めていたことだけはわかってきた。

「さて、こうした不思議な事件の心理的関係を、あなたにお話し申す必要はあるまいと思います。しかし、かの精神病の婦人の回復が死の鍵である最後の役目を勤めたのは、明らかにあなたであると思います。それからあなたに告白しなければならないのは、実は私があなたの頸(くび)のうしろに手を当てて、あなたの催眠状態の母体になっていた時、わたしは私自身の眼にもあの鏡の中に女の顔を見て、はっとしましたよ。しかし、ご安心なさい。あの鏡に映ったのはまぼろしの女ではなく、エドヴィナ伯爵夫人の顔であったということがやっと分かりましたよ」

博士の話はこれで終わった。博士はわたしの精神に安心をあたえるためにも、この事件について、この以上には解釈のしようがないと言ったので、その言葉をここに繰り返しておきたい。

私もまた今となって、アンジェリカとエドヴィナ伯爵と、かの老執事と私自身との関係――それは悪魔の仕業（しわざ）のようにも思えるが――その関係を、この上に諸君と議論する必要はないように思われる。私はこの事件の直後、拭（ぬぐ）い去ろうとしても拭い去ることの出来ない憂鬱症のために、逐（お）われるようにしてこのX市を立ち去った。それでもなお一、二ヵ月は気味の悪い感じがどうしても去らなかったが、突然それを忘れてしまって、なんともいえない愉快な心持ちが幾月ぶりかで私の心にかえってきたということだけを、最後に付け加えておきたいのである。

わたしの心に、そうした気分の転換が起こった刹那に、X市ではかの気違いの婦人が息を引き取った。

聖餐祭

フランス

フランス Anatole France

一八四四年四月十六日、仏国パリに生まる。上代の歴史、または過去の伝説を材料として、これに新思想を寓するをもって知らる。欧州大戦の際には祖国のために義勇兵を出願せることあり。一九二四年逝く。

これは、ある夏の涼しい晩に、ホワイト・ホースの樹の下にわれわれが腰をおろしているとき、ヌーヴィユ・ダーモンにある聖ユーラリ教会の堂守が、いい機嫌で、死人の健康を祝するために古い葡萄酒を飲みながら話したのである。彼はその日の朝、白銀の涙を柩おおいに散らしながら、十分の敬意を表して、その死人を墓所へ運んだのであった。

死んだのは、わたしの可哀そうな親父ですが……。（堂守が話し出したのである）一生、墓掘りをやっていたのです。親父は気のいい人間で、そんな仕事をするようになったのも、つまりはほうぼうの墓所に働いている人たちと同じように、それが気楽な仕事であったからです。墓掘りなどをする者には「死」などという事はちっとも怖ろしくないのです。彼らはそんな事をけっして考えていないのです。たとえば私にしたところで、夜になって墓場へはいり込んでゆくくらいのことは、まるでこのホワイト・ホースの樹のところにいるくらいのもので、少しも気味の悪いことはないのです。どうかすると、幽霊に出逢うこともありますが、出逢ったところで何でもありませんよ。私の親父も自分の仕事については、私と同じ考えで、墓場で働くくらいの事は何でもなかったのだと思います。私は死人の癖や、性質はよく知っています。まったく坊さんたちの知らないことまでも知っています。私が見ただけの事をすっかりお話しすれば、あなたがたはびっくりなさると思いますが、話は少ないほうが悧口だと言いますからね。私の親父がそれでして、いつもいい機嫌で糸をつむぎながら、自分の知っている話の二十のうちの一つしか話さない人でした。この流儀で、親父はたびたび同じ話をして聞かせましたが……。そうです、私の知っているだけでもカトリーヌ・フォンテーヌの話を少なくも百度ぐらいは話しました。

カトリーヌ・フォンテーヌは、親父が子供の時によく見かけたことを思い出していましたが、いい年の婆さんであったそうです。いまだにその地方に、その婆さんの噂を知っている老人が三人もいるそうですが、かなりその婆さんは知れ渡っている人で、ひどく貧乏であった割合に、またひどく評判のいい人であったようです。婆さんはそのころ、ノンス街道の角の——いまだにあるそうですが——、小さい塔のような形の家に住んでいまして、それは半分ほどもこわれた古屋敷で、ウルスラン尼院の庭にむかっている所にありました。その塔の上には、今でもまだ昔の人の形をした彫刻の跡と、半分消えたようになっている銘がありまして、さきにお亡くなりになりました聖ユーラリ教会の牧師レバスールさまは、それが「愛は死よりも強し」というラテン語だとおっしゃいました。もっとも、この言葉は、「聖なる愛は死よりも強し」という意味だそうです。

カトリーヌ・フォンテーヌは、この小さなひと間に独りで住んで、レースを作っていたのです。ご存じでしょうが、この辺で出来るレースは世界じゅうで一番いいことになっているのです。この婆さんにはお友達や親戚はなんにもなかったと言いますが、十八の時にドーモン・クレーリーという若い騎士を愛していて、人知れずその青年と婚約をしていたそうです。

もっとも、これは作り話で、カトリーヌ・フォンテーヌの日ごろのおこないが普通の賃仕事をしている女たちとは違って上品であったのと、白髪(しらが)あたまになってもどこかに昔の美しさが残っていたせいだといって、土地では本当にしていないのです。婆さんの顔色は、どちらかといえば沈んでいて、指には金細工(きんざいく)屋に作らせた、二つの手が握りあっている形をした指環をはめていました。昔はここらの村では婚約の儀式にそんな指環を取り交すのが慣習(ならわし)になっていましたが、まあ、そんなふうな指環であったのでしょう。

婆さんは聖者のような生活をしていました。一日のうちの大部分を教会で過ごして、どんな日でも毎朝かならず聖ユーラリの六時の聖餐祭の手伝いに出かけていたのです。

ある十二月の夜のことでした。カトリーヌの婆さんは独りで小さい自分の部屋に寝ていますと、鐘の音に眼を醒まされたのです。疑いもなく第一の聖餐祭の鐘ですから、敬虔な婆さんはすぐに支度をして階下へ降りて、町の方へ出て行きました。夜は真っ暗で、人家の壁も見えず、暗い空からは何ひとつの光りも見えないのです。そうして、あたりの静かなことは、犬の遠吠え一つきこえず、なんの生き物の音もせず、まるで人気がないように感じられたそうですが、それでも婆さんが歩いていると、路にころがっている石も一つ一つはっきりと見えて、眼をつぶったままでも教会へゆく道は立派に分かったといいます。そこで、ノンスの道とパロアスの道の角まで、わけもなしにたどって来ると、そこには、おもおもしい梁に系統木（クリストの系図を装飾的に現わしたもの）の彫ってある木造の家が建っていました。

ここまで来ると、カトリーヌは教会の扉があいていて、たくさんの大きい蠟（燭の灯）が洩れているのを見たのです。歩いて教会の門を通ると、自分はもう教会のうちにいっぱいになっている会衆の中にはいっていました。礼拝者の人たちは見えなかったのですが、そこに集まっているのはいずれも天鵞絨や紋織りの衣服を着て、羽根毛のついている帽子をかぶって、むかしふうの佩剣をつけている人びとばかりであるのに驚かされました。そこには握りが黄金で出来ている長い杖をついている紳士もいます。レースの帽子をコロネット型の櫛で留めている婦人たちもいます。聖ルイスふうをした騎士たちは婦人たちに手を差しのべていると、相手の婦人たちは隈取りをした顔を扇にかくしていて、ただ白粉のついている額と、眼のふちに眼張りをしているのだけが見えるのでした。

それらの人びとは少しの音もさせずに自分たちの席につきましたが、その動いている時、鋪石(しきいし)の上に靴の音もなければ衣(きぬ)ずれの音もないのです。低い所には、鳶(とび)色のジャケツに木綿(ディミン)の袖をつけて、青い靴下をはいている若い芸術家たちの群れが、顔を薄くあからめて伏目がちな娘たちの腰に腕をまいて親しそうに押し合っています。また、聖水(ホリーウオーター)の近くには、真紅(しんく)の袴(ペティコート)をはいて、レースのついている胸衣(むなぎ)をつけた農家の女たちが、家畜のように動かずに地面に腰をおろしています。そうかと思うと、若い者がその女たちのうしろに立って大きな眼をして見廻しながら、指先でくるくると帽子を廻したりしています。これらの悲しそうな顔つきの人たちは、何か同じ思いのために、動かずにここに集まっているようで、ある時は愉しそうに、またある時は悲しそうにみえるのでした。

カトリーヌはいつもの席についていると、司祭は二人の役僧をしたがえて、聖餐の壇にのぼるのを見ました。どの僧もみな婆さんの識らない人ばかりでしたが、やがて聖餐祭は始まりました。実にしずかな聖餐祭で、人びとのくちびるの動きは見えても、その声はきこえないのです。鐘の音もきこえません。

カトリーヌは自分のまわりにいる不思議な人びとの注目を受けていることを感じながら、わずかに顔を振り向けようとする時、そっと隣りを偸み見ると、その人は婆さんがかつて愛していて、四十五年前にもう死んでいるはずの騎士ドーモン・クレーリーであったのです。カトリーヌはその人であることを、左の耳の上にある小さい痣と、長い睫毛が両方の頰にまで長い影をうつしているのとでたしかめたのです。彼は黄金色のレースのついている緋色の猟衣を着ていましたが、その服装こそは聖レオナルドの森で、初めて彼がカトリーヌに逢って、彼女に飲み水をもらって、そっと接吻をした時の姿であったのです。彼はいまだに若わかしく、立派な風貌をそなえていて、彼が微笑を浮かべると、今も美しい歯並があらわれるのでした。カトリーヌは低い声で彼に話しかけました。

「過ぎし日の私のお友達……そうして、私が女としてのすべての愛を捧げたあなたに、神様のお加護がありますよう……。神様は、あなたのお心にしたがった私の罪をついに後悔させようとなされましょうが、私はこんな白い髪になって、一生の終わりに近づきましても、あなたを愛したことはいまだに後悔いたしておりません。そこで伺いますが、この聖餐祭に集まっていられる、あの昔ふうの服装をしている方がたはどなたでございます」

騎士ドーモン・クレーリーは、呼吸をするよりも微かな、しかも透き通った声で答えました。

「あの男や女は、私たちが犯したような罪……動物的恋愛の罪のために、神様を悲しませた人たちです。煉獄の境いから来た霊魂たちです。しかしそのために、神様から追放されているのではありません。あの人たちの罪は私たちと同じように、無分別がさせた罪であるからです。あの人たちは、地上にいたときに愛していた人たちから離されている間に、この人たちにとって最も残酷な呵責である放心の苦難を受けて、煉獄の浄火に聖められたのです。この人たちの愛の苦しみは、天界にいる天使たちから見ると、憐れに見えるほどの不幸であるのです。この人たちは、天界の最も高き所にいます神の許しによって、一年のうち夜の一時間だけは、この人たちの教区に属する教会で、愛人と愛人とが逢うことができるのです。ここで、この人たちが、影の聖餐祭に集まって、手と手を握り合うことを許されています。私もここで、まだ死んでいないあなたに逢うことを許されたのは、これも神様のあたえてくだされた一つの愉楽なのです」

そこで、カトリーヌ・フォンテーヌは次のように答えました。

「もし私が、いつか森の中であなたに飲み水をさしあげた時のように美しくなれますなら、わたしは喜んで死にたいと思います」

二人が低い声でこんな話をしている間に、ひどく年をとった僧が大きな銅盤を礼拝者の前に差し出しながら、喜捨の金を集めに来ました。礼拝者たちは交るがわるにその中へ、遠い以前から通用しない貨幣を置きました。六ポンドのエクー古銀貨、英国のフロリン銀貨、ダカット銀貨、ジャコビュスの金貨、ローズノーブルの銀貨などが音もなしに盤のなかへ落ちました。その盤はついに騎士の前に置かれたので、彼はルイス金貨を落としましたが、今までの金貨や銀貨と同じように、これも音を立てませんでした。

それから、かの老僧はカトリーヌ・フォンテーヌの前に立ち停まったので、カトリーヌは懐中(ふところ)を探りましたが、一ファージングの銅貨も持ち合わせていませんでした。しかし、何も入れないでそのまま通してしまいたくなかったので、騎士が死ぬ前に彼女に与えた指環を指から抜き取って、その銅盤へ投げ入れると、金の指環が盤の上に落ちると同時に、おもおもしい鐘が鳴りひびきました。この鐘の反響のうちに、騎士を初め、僧員や司祭者や役僧や、婦人や、そこに集まっているすべての人たちはみな消えてしまったのです。灯のついていた蠟燭も流れては消え、ただ、かのカトリーヌ・フォンテーヌの婆さんだけが闇のなかに取り残されました。

堂守はここで話を終わると、葡萄酒をひと息にぐっと飲みほして、しばらく黙っていたが、やがてまた、次のように話し始めた。

「わたしは親父が何度も繰り返して話して聴かせたのを、そのままお話し申したのですが、これは本当にあった話だと思います。それというのは、この話はすべてその昔に私が見知っている……今はこの世にいない人たちの様子や特別な風習に符合しているからです。わたしは子供のときから、死人のことにずいぶんかかり合いましたが、死人はみな自分の愛している人のところへ立ち帰るものです。

吝嗇な人間が生前に隠して置いた財物の附近に、夜中徘徊するというのもやはりこのわけです。この人たちは自分の黄金に対して厳重な見張りをしているのです。死人として、しなくともいいことをして自分で自分を苦しめ、かえって自分の不利益になってしまうのです。

幽霊のすがたになって、地のなかに埋めた金などを掘っているのは珍らしいことではありません。それと同じように、さきに死んでしまった夫が、あとに生き残って他人と結婚した妻を悩ましに来たりすることがあります。私は生きていた時よりも、死んでからいっそう自分の妻を監視している大勢の人の名前までも知っています。

こんなことはいけないことです。正しい意味からいえば、死人が嫉妬をいだくなどは謂れのないことです。私自身が見たことについてお話をすることもできますが、男が未亡人と結婚しても同じようなことになるのです。しかし、今お話をしたカトリーヌの一件は、次のように伝えられています。

その不思議なことのあった翌朝、カトリーヌ・フォンテーヌは、自分の部屋で死んでいました。そうして、聖ユーラリ教区の役僧が集金のときに使った銅盤のなかに、二つの手の握り合った形をした黄金の指環がはいっていたのを発見したのです。いや、私は冗談などをいう男ではありません。さあ、もっと葡萄酒を飲もうではありませんか」

幻の人力車

キップリング

キップリング　Rudyard Kipling

英国著名の詩人、小説家。一八六五年十二月三十日、印度のボンベイに生まる。英国にて教育を受けたるも、一八八二年より八九年まで印度にありたるをもって、題材を印度に取りたるもの少なからず。本集に編入せる「幻の人力車」もその当時の作なり。一八八九年の末に東洋諸国を漫遊し、日本へも来たりしことあり。(一九三六年没)

一

悪夢よ、私の安息を乱さないでくれ。
闇の力よ、私を悩まさないでくれ。

印度という国が英国よりも優越している二、三の点のうちで、非常に顔が広くなるということも、その一つである。いやしくも男子である以上、印度のある地方に五年間公務に就いていれば、直接または間接に二、三百人の印度人の文官と、十一、二の中隊や連隊全部の人たちと、いろいろの在野人士の千五百人ぐらいには知られるし、さらに十年間のうちには彼の顔は二倍以上の人たちに知られ、二十年ごろになると印度帝国内の英国人のほとんど全部を知るか、あるいは少なくとも彼らについてなんらかを知るようになり、そうして、どこへ行ってもホテル代を払わずに旅行が出来るようになるであろう。

款待を受けることを当然と心得ている世界漫遊者も、わたしの記憶しているだけでは、だいぶ遠慮がちになってきてはいるが、それでも今日なお、諸君が知識階級に属していて、礼儀を知らない無頼の徒でないかぎりは、すべての家庭は諸君のために門戸をひらいて、非常に親切に面倒を見てくれるのである。

　今から約十五年ほど前に、カマルザのリッケットという男がクマーオンのポルダー家に滞在したことがあったが、ほんの二晩ばかり厄介になるつもりでいたところ、リューマチ性の熱が因で六週間もポルダー邸を混乱させ、ポルダーの仕事を中止させ、ポルダーの寝室でほとんど死ぬほどに苦しんだ。ポルダーはまるでリッケットの奴隷にでもなったように尽力してやった上に、今もって毎年リッケットの子供たちに贈り物や玩具の箱を送っている。そんなことはどこでもみな同様である。諸君に対して、お前は能なしの驢馬だという考えを、別に隠そうともしないようなあけっ放しの男や、諸君の性格を傷つけたり、諸君の細君の娯楽を思い違いするような女は、かえって諸君が病気にかかったり、または非常な心配事に出逢ったりする場合には、骨身を惜しまずに尽くしてくれるものである。

　ドクトル・ヘザーレッグは普通の開業医であるが、内職に自分の家に病室を設けていた。彼の友人たちはその設備を評して、もうどうせ癒らない患者のための馬小屋だといっていたが、しかし実際暴風雨に逢って難破せんとしている船にとっては適当な避難所であった。

印度の気候はしばしば蒸し暑くなる上に、煉瓦づくりの家の数が少ないので、唯一の特典として時間外に働くことを許可されているが、それでもありがたくないことには、時どきに気候に犯されて、ねじれた文章のように頭が変になって倒れる人たちがある。

ヘザーレッグは今まで印度へ来ていたうちでは一番上手な医者ではあるが、彼が患者への指図といえば、「気を鎮めて横になっていなさい」「ゆっくりお歩きなさい」「頭を冷やしなさい」の三つにきまっている。彼にいわせれば、多くの人間はこの世の生存に必要以上の仕事をするから死ぬのだそうである。彼は三年ほど以前に自分が治療したパンセイという患者も、過激な仕事のために生命を失ったのだと主張している。むろん、彼は医者としてそういうふうに断定し得る権利を持っているので、パンセイの頭には亀裂が入って、そこから暗黒世界がほんのわずかばかり沁み込んだために、彼を死に至らしめたのだという私の説を一笑に付している。

「パンセイは故国を長くはなれていたのが原因で死んだのだ」と、彼は言っている。「彼がケイス・ウェッシントン夫人に対して悪人のような振舞いをしようがしまいが、そんなことはどちらでもかまわない。ただ私の注意すべきところは、カタブンデイ植民地の事業がすっかり彼を疲らせてしまった事と、彼が女からきた色じかけのくだらない手紙のことをくよくよしたり、嬉しがったりしたということである。彼はちゃんとマンネリング嬢と婚約が整っていたのに、彼女はそれを破談にしてしまった。そこで、彼は悪寒を感じて熱病にかかるとともに、幽霊が出るなどとつまらない囈語をいうようになった。要するに、過労が彼の病気の原因ともなり、死因ともなったので、可哀そうなものさ。政府に伝達してやりたまえ。一人で二人半の仕事をした男だということを……」

私にはヘザーレッグのこの解釈は信じられない。私はいつもヘザーレッグが往診に呼ばれて外出する時には、よくパンセイのそばに坐っていてやったが、ある時わたしはもう少しで叫び声を立てようとしたことがあった。それから彼は、低いけれども忌に落ち着いた声で、自分の寝床の下をいつでも男や女や子供や悪魔の行列が通ると言って、私をぞっとさせた。彼の言葉は熱に浮かされた病人独特の気味の悪いほどの雄弁であった。彼が正気に立ちかえった時、わたしは彼の煩悶の原因となる事柄の一部始終を書きつらねておけば、彼のこころを軽くするに違いないからと言って聞かせた。実際、小さな子供が悪い言葉を一つ新しく教わると、扉にそれをいたずら書きをするまでは満足ができないものである。これもまた一種の文学である。

執筆中に彼は非常に激昂していた。そうして、彼の執った人気取りの雑誌張りの文体が、よけい彼の感情をそそった。それから二ヵ月後には、仕事をしても差し支えないとまで医者にいわれ、また人手の少ない委員会の面倒な仕事を手伝ってくれるように切に懇望されたにもかかわらず、臨終に際して、自分は悪夢におそわれているということを明言しながら、みずから求めて死んでしまった。わたしは彼が死ぬまでその原稿を密封しておいた。以下は彼の事件の草稿で、一八八五年の日付けになっていた。

私の医者はわたしに休養、転地の必要があると言っている。ところが、私には間もなくこの二つながらを実行することが出来るであろう。――但し、わたしの休養とは、英国の伝令兵の声や午砲の音によって破られないところの永遠の安息であり、わたしの転地というのは、どの帰航船もわたしを運んで行くことの出来ないほどに遠いあの世へである。しばらくわたしは今いるところに滞在して、医師にあからさまに反対して、自分の秘密を打ち明けることに決心した。諸君は、おのずと私の病気の性質を精確に理解するとともに、かつて女からこの不幸な世の中に生みつけられた男のうちで、私のように苦しんできた者があるかどうかが、またおのずから分かるであろう。

死刑囚が絞首台にのぼる前に懺悔をしなければならないように、私もこれから懺悔話をするのであるが、とにかく、私のこの信じ難いほどに忌わしい狂乱の物語は、諸君の注意を惹くであろう。けれども、私は自分のこの物語が永久に人びとから信じられるとは全然思わない。二ヵ月前には私も、これと同じ物語を大胆にも私に話したその男を、気ちがいか酔いどれのように侮蔑した。そうして、二ヵ月前には私は印度でも一番の仕合わせ者であった。それが今日では、ペシャワーから海岸に至るまでの間に、私よりも不幸な人間はまたとあろうか。

この物語を知っているものは、私の医者と私の二人である。しかも私の医者は、わたしの頭や消化力や視力が病いに冒されているために、時どきに固執性の幻想が起こってくるのであると解釈している。幻想、まったくだ！　わたしは自分の医者を馬鹿呼ばわりしているが、それでもなお、判で押したように彼は綺麗に赤い頰鬚に手入れをして、絶えず微笑をうかべながら、温和な職業的態度で私を見廻って来るので、しまいには私も、おれは恩知らずの、性の悪い病人だと恥じるようになった。しかし、これから私が話すことが幻想であるかどうか、諸君に判断していただきたい。

三年前に長い賜暇期日が終わったので、グレーヴセントからボンベイへ帰る船中で、ボンベイ地方の士官の妻のアグネス・ケイス・ウェッシントンという女と一緒になったのが、そもそも私の運命――わたしの大きな不運であった。いったい、彼女はどんなふうの女であるかを知るのは、諸君にとってもかなり必要なことであるが、それには航海の終わりごろから彼女とわたしとが、たがいに熱烈な不倫の恋に陥ちたということを知れば、満足がゆかれるだろう。

こんなことは、自分に多少なりとも虚栄心がある間は白状の出来ることではないのであるが、今の私にはそんなものはちっともない。さて、こうした恋愛の場合には、一人があたえ、他の一人が受けいれるというのが常である。ところが、われわれの前兆の悪い馴れそめの第一日から、私はアグネスという女は非常な情熱家で、男まさりで——まあ、しいて言うなら——私よりも純な感情を持っているのを知った。したがってその当時、彼女がわれわれの恋愛をどう思っていたか知らないが、その後、それは二人にとって実に苦(にが)い、味のないものになってしまった。

　その年の春にボンベイに着くと、私たちは別れわかれになった。それから二、三ヵ月はまったく逢わなかったが、わたしの賜暇と彼女の愛とがまたもや二人をシムラに馳(は)しらせた。そこでその季節(シーズン)を二人で暮らしたが、その年の終わるころに私のこのくだらない恋愛の火焔(ほのお)は燃えつくして、悼(いた)わしい終わりを告げてしまった。私はそれについて別に弁明しようとも思わない。ウェッシントン夫人もわたしのことを諦めて、断念しようとしていた。

　一八八二年の八月に、彼女はわたし自身の口から、もう彼女の顔を見るのも、彼女と交際するのも、彼女の声を聞くのさえも飽(あ)きがきてしまったと言うのを聞かされた。百人のうち九十九人の女は、私がかれらに飽きたら、かれらもまた私に飽きるであろうし、百人のうち七十五人までは、他の男と無遠慮に、盛んにいちゃついて、私に復讐するであろう。

が、ウェッシントン夫人はまさに百人目の女であった。いかに私が嫌厭を明言しても、または二度と顔を合わせないように、いかに手ひどい残忍な目に逢わせても、彼女にはなんらの効果がなかった。

「ねえ、ジャック」と、彼女はまるで永遠に繰り返しでもするように、馬鹿みたような声を立てるのであった。「きっとこれは思い違いです。……まったく思い違いです。わたしたちはまたいつか仲のいいお友達になるでしょう。どうぞ私を忘れないでください。わたしのジャック……」

　わたしは犯罪者であった。そうして、私はそれを自分でも知っていたので、身から出た錆だと思って自分の不幸に黙って忍従し、また明らかに無鉄砲に厭ってもいた。それはちょうど、一人の男が蜘蛛を半殺しにすると、どうしても踏み潰してしまいたくなる衝動と同じことであった。私はこうした嫌厭の情を胸に抱きながら、そのシーズンは終わった。

　あくる年わたしは再びシムラで逢った。――彼女は単調な顔をして、臆病そうに仲直りをしようとしたが、私はもう見るのも忌だった。それでも幾たびか私は彼女と二人ぎりで逢わざるを得なかったが、そんなときの彼女の言葉はいつでもまったく同じであった。相も変わらず例の「思い違いをしている」一点ばりの無理な愁歎をして、結局は、「友達になりましょう」と、いまだに執拗に望んでいた。

わたしが注意して観察したら、彼女はこの希望だけで生きていることに気がついたかもしれなかった。彼女は月を経るにつれて血色が悪く、だんだんに痩せていった。少なくとも諸君と私とは、こういった振舞いはよけいに断念させるという点において同感であろうと思う。実際、彼女のすることはさし出がましく、児戯にひとしく、女らしくもなかった。私は、彼女を大いに責めてもいいと思っている。それにもかかわらず、時どきに熱に浮かされたような、眠られない闇の夜などには、自分はだんだんに彼女に好意を持って来たのではないか、というようなことを思い始めた。しかし、それも確かに一つの「幻想」である。私はもう彼女を愛することが出来ないのに、愛するようなふうを続けていることは出来なかった。そんなことが出来るであろうか。第一、そんなことは私たちお互いにとって正しいことではなかった。

　去年また私たちは逢った。――前の年と同じ時期である。そうして、前年とおなじように彼女は飽きあきするような歎願をくりかえし、私もまた例のごとくに情ない返事をした。そうして、古い関係を回復しようとする彼女の努力がいかに間違っているか、またいかに徒労であるかを彼女に考えさせようとした。

　シーズンが終わると、私たちは別れた。――言いかえれば、彼女はもうとても私と逢うことは出来ないと覚った。というのは、私が他に心を奪われることが出来していたからである。わたしは今、自分の病室で静かにあの当時のことを回想していると、一八八四年のあのシーズンのことどもが異様に明暗入り乱れて、渾沌たる悪夢のように見えてくる。——可愛いキッティ・マンネリングのご機嫌とり、わたしの希望、疑惑、恐怖、キッティと二人での遠乗り、身をおののかせながらの恋の告白、彼女の返事、それから時どきに黒と白の法被を着た苦力の人力車に乗って、静かに通ってゆく白い顔の幻影、ウェッシントン夫人の手袋をはめた手、それから極めて稀ではあったが、夫人とわたしと二人ぎりで逢ったときの彼女の歎願のもどかしい単調——。

わたしはキッティ・マンネリングを愛していた。実に心から彼女を愛していた。そうして、私が彼女を愛すれば愛するほど、アグネスに対する嫌厭の念はいよいよ増していった。八月にキッティと私とは婚約を結んだ。その次の日に、私はジャッコのうしろで呪うべき饒舌家の苦力らに逢った時、ちょっとした一時的の憐憫の情に駆られて、ウェッシントン夫人にすべてのことを打ち明けるのをやめてしまったが、彼女はわたしの婚約のことをすでに知っていた。

「ねえ、あなたは婚約をなすったそうですね、ジャック」と言ってから、彼女は息もつかずに、「何もかも思い違いです。まったく思い違いです。いつか私たちはまた元のように仲よしのお友達になるでしょう。ねえ、ジャック」と言った。

わたしの返事は男子すらも畏縮させたに違いなかった。それは鞭のひと打ちのように、私の眼前にある瀕死の女のこころを傷めた。

「どうぞ私を忘れないでください。ね、ジャック。わたしはあなたを怒らせるつもりではなかったのです。しかし本当に怒らせてしまったのね、本当に……」

そう言ったかと思うと、ウェッシントン夫人はまったく倒れてしまった。わたしは彼女を心静かに家に帰らせるために、そのまま顔をそむけて立ち去ったが、すぐに自分は言い知れぬ下品な卑劣漢であったことを感じた。私はあとを振り返ると、彼女が人力車を引き返さしているのを見た。

そのときの情景と周囲のありさまは私の記憶に焼き付けられてしまった。雨に洗いきよめられた大空（あたかも雨期の終わるころであったので）、濡れて黒ずんだ松、ぬかるみの道、火薬で削り取ったどす黒い崖、こういったものが一つの陰鬱な背景を形づくって、その前に苦力らの黒と白の法被や黄いろい鏡板のついたウェッシントン夫人の人力車と、その内でうなだれている彼女の金髪とがくっきりと浮き出していた。彼女は左手にハンカチーフを持って、人力車の蒲団にもたれながら失神したようになっていた。わたしは自分の馬をサンジョリー貯水場のほとりの抜け道へ向けると、文字通りに馬を飛ばした。「ジャック！」と、彼女が微かにひと声叫んだのを耳にしたような気がしたが、あるいは単なる錯覚かもしれなかった。わたしは馬をとめて、それをたしかめようとはしなかった。それから十分の後、わたしはキッティが馬に乗って来るのに出逢ったので、二人で長いあいだ馬を走らせて、さんざん楽しんでいるうちに、ウェッシントン夫人との会合のことなどはすっかり忘れてしまった。

一週間ののちに、ウェッシントン夫人は死んだ。

二

夫人が死んだので、彼女が存在しているという一種の重荷がわたしの一生から取り除かれた。わたしは非常な幸福感に胸をおどらせながらプレンスワードへ行って、そこで三ヵ月間をおくっているうちに、ウェッシントン夫人のことなどは全然忘れ去った。ただ時どきに彼女の古い手紙を発見して、私たちの過去の関係が自分の頭に浮かんでくるのが不愉快であった。正月のうちにわたしは種じゅの場所に入れておいた私たちの手紙の残りを探し出して、ことごとく焼き捨てた。

その年、すなわち一八八五年の四月の初めには、私はシムラにいた。――ほとんど人のいないシムラで、もう一度キッティと深い恋を語り、また、そぞろ歩きなどをした。私たちは六月の終わりに結婚することに決まっていた。したがって、当時印度における一番の果報者であると自ら公言している際、しかも私のようにキッティを愛している場合、あまり多く口がきけなかったということは、諸君にも納得できるであろう。

それから十四日間というものは、毎日まいにち空に過ごした。それから、私たちのような事情にある人間が誰でもいだくような感情に駆られて、私はキッティのところへ手紙を出して、婚約の指環というものは許嫁の娘としてその品格を保つべき有形的の標であるから、その指環の寸法を取るために、すぐにハミルトンの店まで来るようにと言ってやった。実をいうと、婚約の指環などということは極めてつまらないことであるので、私はこのときまで忘れていたのである。そこで、一八八五年の四月十五日に私たちは、ハミルトンの店へ行った。

この点をどうか頭においてもらいたいのだが――たとい医者がどんなに反対なことを言おうとも――その当時のわたしは全くの健康状態であって、均衡を失わない理性と絶対に冷静な心とを持っていた。キッティと私とは一緒にハミルトンの店へはいって、店員がにやにや笑っているのもかまわず、自分でキッティの指の太さを計ってしまった。指環はサファイヤにダイヤが二つはいっていた。わたしたちはそれからコムバーメア橋とペリティの店へゆく坂道を馬に乗って降りて行った。

あらい泥板岩の上を用心ぶかく進んでゆく私の馬のそばで、キッティが笑ったり、おしゃべりをしたりしている折りから――ちょうど平原のうちに、かのシムラが図書閲覧室やペリティの店の露台（バルコニー）に囲まれながら見えてきた折りから――私はずっと遠くのほうで誰かが私の洗礼名（クリスチャンネーム）を呼んでいるのに気がついた。かつて聞いたことのある声だなと直感したが、さていつどこで聞いたのか、すぐには頭に浮かんでこなかった。ほんのわずかのあいだ、その声は今まで来た小路とコムバーメア橋との間の道いっぱいに響き渡ったので、七、八人の者がこんな乱暴な真似をしているのだと思ったが、結局それは私の名を呼んでいるのではなくて、何か歌を唄っているに相違ないと考えた。

そのとき、たちまちにペリティの店の向う側を黒と白の法被（はっぴ）を着た四人の苦力（クーリー）が、黄いろい鏡板の安っぽい出来合い物の人力車を挽（ひ）いて来るのに気がついた。そうして、懊悩（おうのう）と嫌悪（けんお）の念を持って、わたしは去年のシーズンのことや、ウェッシントン夫人のことを思い出した。

それにしても、彼女はもう死んでしまって、用は済んでいるはずである。なにも黒と白の法被を着た苦力をつれて、白昼の幸福を妨げにこなくてもいいわけではないか。それで私は、まずあの苦力らの雇いぬしが誰であろうと、その人に訴えて、彼女の苦力の着ていた法被を取り替えるように懇願してみようと思った。あるいはまた、わたし自身がかの苦力を雇い入れて、もし必要ならばかれらの法被を買い取ろうと思った。とにかくに、この苦力らの風采がどんなに好ましからぬ記憶の流れを喚起したかは、とても言葉に言い尽くせないのである。

「キッティ」と、私は叫んだ。「あすこに死んだウェッシントン夫人の苦力がやって来ましたよ。いったい、今の雇いぬしは誰なんでしょうね」

キッティは前のシーズンにウェッシントン夫人とちょっと逢ったことがあって、蒼ざめている彼女については常に好奇心を持っていた。

「なんですって……。どこに……」と、キッティは訊いた。「わたしにはどこにもそんな苦力は見えませんわ」

彼女がこう言った刹那、その馬は荷を積んだ驢馬を避けようとしたはずみに、ちょうどこっちへ進行して来た人力車と真向かいになった。私はあっと声をかける間もないうちに、ここに驚くべきは、彼女とその馬とが苦力の車を突きぬけて通ったことである。苦力も車もその形はみえながら、あたかも稀薄なる空気に過ぎないようであった。

「どうしたというんです」と、キッティは叫んだ、「何をつまらないことを呶鳴っているんです。わたしは婚約をしたからといって、別に人間が変わったわけでもないんですよ。驢馬と露台との間にこんなに場所があったのね。あなたはわたしが馬に乗れないとお思いなんでしょう。では、見ていらっしゃい」

強情なキッティはその優美な小さい頭を空中に飛び上がらせながら、音楽堂の方向へ馬を駈けさせた。あとで彼女自身も言っていたが、馬を駈けさせながらも、私があとからついて来るものだとばかり思っていたそうである。ところが、どうしたというのであろう。私はついてゆかなかった。私はまるで気違いか酔っ払いのようになっていたのか、あるいはシムラに悪魔が現われたのか、わたしは自分の馬の手綱を引き締めて、ぐるりと向きを変えると、例の人力車もやはり向きを変えて、コムバーメア橋の左側の欄干に近いところで私のすぐ目の前に立ちふさがった。

「ジャック。私の愛するジャック！」（その時の言葉はたしかにこうであった。それらの言葉は、わたしの耳のそばで呶鳴り立てられたように、わたしの頭に鳴りひびいた。）「何か思い違いしているのです。まったくそうです。どうぞ私を堪忍してください、ジャック。そしてまたお友達になりましょう」

人力車の幌がうしろへ落ちると、わたしが夜になると怖がるくせに毎日考えていた死そのもののように、その内にはケイス・ウェッシントン夫人がハンカチーフを片手に持って、金髪の頭を胸のところまで垂れて坐っていた。

どのくらいの間、わたしは身動きもしないでじいっと見つめていたか、自分にも分からなかったが、しまいに馬丁が私の馬の手綱をつかんで、病気ではないかと訊いたので、ようようわれにかえったのである。私は馬からころげ落ちんばかりに、ほとんど失神したようになってペリティの店へ飛び込んで、シェリー・ブランデイを一杯飲んだ。

店の内には二組か三組の客がカフェーのテーブルをかこんで、その日の出来事を論じていた。この場合、かれらの愚にもつかない話のほうが、私には宗教の慰藉などよりも大いなる慰藉になるので、一も二もなくその会話の渦中に投じて、喋べったり、笑ったり、鏡のなかへ死骸のように青くゆがんで映った人の顔にふざけたりしたので、三、四人の男はあきれてわたしの態度をながめていたが、結局、あまりにブランデイを飲み過ぎたせいだろうと思ったらしく、いい加減にあしらって私を除け者にしようとしたが、私は動かなかった。なぜといって、そのときの私は、日が暮れて怖くなったので夕飯の仲間へ飛び込んでくる子供のように、自分の仲間が欲しかったからであった。

それから私は、十分間ぐらいも雑談していたに相違なかったが、そのときの私には、その十分間ほどが実に限りもなく長いように思われた。そのうちに、外でわたしを呼んでいるキッティの声がはっきりと聞こえたかと思うと、つづいて彼女が店のなかへはいって来て、わたしが婚約者としての義務をはなはだ怠っているということを婉曲に詰問しようとした。私の目の前には何か得体の知れないものがあって、彼女をさえぎってしまった。

「まあ、ジャック」と、キッティは呶鳴った。「何をしていたんです。どうしたんです。

あなたはご病気ですか」

こうなると、嘘を教えられたようなもので、きょうの日光がわたしには少し強過ぎたと答えたが、あいにく今は四月の陰った日の午後五時近くであった上に、きょうはほとんど日光を見なかったことに気がついたので、なんとかそれを胡麻化そうとしたが、キッティはまっかになって外へ出て行ってしまったので、私はほかの連中の微笑に送られながら、悲観のていで彼女のあとについて出た。私はなんといったか忘れてしまったが、どうも気分が悪いからというようなことで、ふた言三言いいわけをした後、独りでもっと乗り廻るというキッティを残して、自分だけは徐かに馬をあゆませてホテルに帰った。

自分の部屋に腰をおろして私は、冷静にこの出来事を考えようとした。ここに私という人間がある。それはテオパルド・ジャック・パンセイという男で、一八八五年度の教養のあるベンガル州の文官で、自分では心身ともに健全だと思っている。その私が、しかも婚約者のかたわらで、八ヵ月以前に死んで葬られた一婦人の幻影に悩まされたというのは、実に私としては考え得べからざる事実であった。キッティと私とがハミルトンの店を出たときには、わたしはウェッシントン夫人のことを何事も考えていなかった。ペリティの店の向う側には見渡すかぎり塀があるばかりで、きわめて平平凡凡な場所であった。おまけに白昼で、道には往来の人がいっぱいであった。しかも、そこには常識と自然律とに全然反対に、墓から出た一つの顔が現われたのであった。

キッティのアラビア馬がその人力車を突きぬけて行ってしまったので、誰かウェッシントン夫人に生き写しの婦人が、その人力車と、黒と白の法被を着た苦力を雇ったのであってくれればいいがと思った最初の希望は外(はず)れた。わたしは幾たびかいろいろに考えを立て直してみたが、結局それは徒労と絶望に終わった。あの声はどうしても妖怪変化の声とは考えられなかった。最初、私はすべてをキッティに打ち明けた上で、その場で彼女に結婚するように哀願して、彼女の抱擁によって人力車の幻影を防ごうと考えた。「畢竟(ひっきょう)」と、私は自分に反駁(はんばく)した。

「人力車の幻影などは、人間に怪談的錯覚性があることを説明するに過ぎない。男や女の幽霊を見るということはあり得るかもしれないが、人力車や苦力の幽霊を見るなどという、そんなばかばかしいことがあってたまるものか。まあ、丘に住む人間の幽霊とでもいうのだろう」

次の朝、わたしはきのう午後における自分の常軌を逸した行為を寛恕(ゆる)してくれるようにと、キッティのところへ謝罪の手紙を送った。しかも私の女神はまだ怒っていたので、私が自身に出頭して謝罪しなければならない破目(はめ)になった。私はゆうべ徹夜で、自分の失策について考えていたので、消化不良から来た急性の心悸亢進(しんきこうしん)のためにとんだ失礼をしましたと、まことしやかに弁解したので、キッティのご機嫌も直って、その日の午後に二人はまた馬の轡をならべて外出したが、私の最初の嘘は、やはり二人の心になんとなく溝を作ってしまった。

彼女はしきりにジャッコのまわりを馬で廻りたいと言ったが、私はゆうべ以来まだぼんやりしている頭で、それに弱く反対して、オブザーバトリーの丘か、ジュトーか、ボイルローグング街道を行こうと言い出すと、それがまたキッティの怒りに触れてしまったので、私はこの以上の誤解を招いては大変だと思って、その言うがままにショタ・シムラの方角へむかった。

私たちは道の大部分を歩いて、それから尼寺の下の一マイルばかりは馬をゆるく走らせて、サンジョリー貯水場のほとりの平坦なひとすじ道に出るのが習慣になっていた。ややもすれば質の悪い私たちの馬は駈け出そうとするので、坂道の上に近づくと、わたしの心臓の動悸はいよいよ激しくなってきた。この午後から私の心は、ウェッシントン夫人のことで常にいっぱいになっていたので、ジャッコの道の到る所が、その昔ウェッシントン夫人と二人で歩いたり、話したりして通ったことを私に思い出させた。思い出は路ばたの石ころにも満ちている。雨に水量を増した早瀬も不倫の物語を笑うように流れている。風もわたしの耳のそばで、私たちの不義を大きく囃し立てていた。

平地の中央で、男の人たちが婦人の一マイル競走に応援している声が、なんとなく恐ろしい事件が待ち構えているように感じさせた。人力車は一台も見えなかった。——と思うとたんに、八ヵ月と二週間以前に見たものとまったく同一の黒と白の法被を着た四人の苦力と、黄いろい鏡板の人力車と、金髪の女の頭が現われた。その一瞬間、わたしはキッティも私と同じものを見たに相違ないと思った。——なぜならば、私たちは不思議にもすべてのことに共鳴していたからである。しかし、彼女の次の言葉で私はほっとした。

「誰もいないわね。さあ、ジャック。貯水場の建物のところまで二人で競走しましょう」

彼女の小賢しいアラビヤ馬は飛鳥のごとくに駈け出したので、わたしの騎兵用軍馬もすぐに後からつづいた。そうして、この順序で私たちは馬を崖の上に駈け登らせた。すると、五十ヤードばかりの眼前に、例の人力車が現われた。はっと思って私は手綱を引いて、馬をすこしく後ずさりさせると、人力車は道の真ん中に立ちふさがった。しかも今度もまたキッティの馬はその人力車を突きぬけて行ってしまったので、私の馬もそのあとに続いた。「ジャック、ジャック、あなた……。どうぞ私を堪忍してくださいよ」という声がわたしの耳へむせび泣くように響いたかと思うと、すぐにまた、「みんな思い違いです。まったく思い違いです」という声がきこえた。

私はまるで物に憑かれた人間のように、馬に拍車を当てた。そうして、貯水場の建物のほうへ顔を向けると、黒と白の法被が――執念深く――灰色の丘のそばに私を待っていた。私が今聴いたばかりのあの言葉が、風と共に人を嘲けるように響いてきた。キッティは私がそれから急に黙ってしまったのを見て、しきりに揶揄(からか)っていた。

それまでの私は口から出まかせにしゃべっていたが、その後は自分の命を失わないようにするために、私はしゃべることが出来なくなったのである。私はサンジョリーから帰って、それからお寺へ運ばれるまで、なるべく口をとじてしまうようになった。

三

その晩、私はマンネリング家で食事をする約束をしたが、ぐずぐずしているとホテルへ帰って着物を着かえる時間がないので、エリイシウムの丘への道を馬上で急いでいると、闇のうちに二人の男が話し合ってゆくのを耳にした。

「まったく不思議なこともあるものだな」と、一人が言った。

「どうしてあの車の走った跡がみんな無くなってしまったのだろう。君も知っている通り、うちの女房はばかばかしいほどにあの女が好きだったのだ。（僕にはどこがいいのかわからなかったがね。）それだもんだから、どうしてもあの女の古い人力車と苦力とを手に入れたいと強請(せび)るのでね。僕は一種の病的趣味だと言っているのだが、まあ奥方の言う通りにしたというわけさ。ところが、ウェッシントン夫人に雇われていたその人力車の持ちぬしが僕に話したところによると、四人の苦力は兄弟であったが、ハードウアへ行く路でコレラにかかって死んでしまい、その人力車は持ちぬしが自分で毀(こわ)してしまったというのだが、君はそれを信じるかね。だから、その持ちぬしに言わせると、死んだ夫人の人力車はちっとも使わないうちに毀したので、だいぶ損をしたというのだが、どうも少し変ではないか。ねえ、君。あの可哀そうな、可愛らしいウェッシントン夫人が自分自身の運命以外に、他の人間の運命をぶちこわすなどとは、まったく考えられないことではないか」

　私はこの男の最後の言葉を大きい声で笑ったが、その笑い声に自分でぞっとした。それではやはり人力車の幽霊や、幽霊が幽霊を雇い入れるなどという事があるのであろうか。ウェッシントン夫人は苦力らにいくらの賃金を払うのであろうか。かれら苦力は何時間働くのであろうか。そうして、かれら苦力はどこへ行ったのであろうか。

　すると、私のこの最後の疑問に対する明白なる答えとして、まだ黄昏(たそがれ)だというのに、またもや例の幽霊がわたしの行く手をふさいでいるのを見た。亡者(もうじゃ)は足が速(はや)く、一般の苦力さえも知らないような近路をして走り廻る。私はもう一度大きい声を立てて笑ったが、なんだか気違いになりそうな気がしたので、あわててその笑い声をおさえた。いや、私は人力車の鼻のさきで馬を止めると、慇懃(いんぎん)にウェッシントン夫人にむかって、「今晩は」と言ってしまったところをみると、すでにある程度までは気が違っていたのかもしれない。彼女の返事は、私がよく知り過ぎているほどに聞きなれた例の言葉であった。わたしは彼女の例の言葉をすっかり聞いてから、もうその言葉は前から幾たびか聞いているから、もっと何かほかのことを話してくれればどんなに嬉しいだろうと答えた。あの夕方は、いつもよりもよほど根強く魔物のこころに喰い入ったに相違ない。私は眼前のその幽霊と相対して、五分間ばかりもその日の平凡な出来事を話していたように、かすかに記憶している。

「気違いだ。可哀そうに……。それとも酔っているのかもしれない。マックス、その人を宅(うち)まで送り届けてやれ」

それはたしかに、ウェッシントン夫人の声ではなかった。

私がひとりで喋べっているのを立ち聴きしていた先刻の二人の男が、私を介抱しようとして戻って来た。かれらは非常に親切で、思いやりがあった。かれらの言葉から察すると、私がひどく酔っているのだと思っているらしかった。私はあわててかれらに礼を言って、馬を走らせてホテルに帰って、大急ぎで衣服を改めて、マンネリング家へ行ったときは約束の時間よりも五分遅れていた。わたしは闇夜であったからというのを口実にして弁解したが、キッティに恋びとらしくない遅刻を反駁されながら、とにもかくにも食卓に着いた。

食卓ではすでに会話に花が咲いていたので、わたしは彼女のご機嫌を取り戻そうとして、気のきいた小咄をしていた時、食卓の端の方で赤い短い頰鬚をはやした男が、ここへ来る途中で見知らない一人の気違いに出逢ったことを、尾鰭をつけて話しているのに気がついた。その話から推して、それは三十分前の出来事を繰り返しているのであることがわかった。その物語の最中に、その男は商売人の噺家がするように、喝采を求めるために一座をずらりと見廻した拍子に、彼とわたしの眼とがぴったり出合うと、そのまま口をつぐんでしまった。一瞬間、恐ろしい沈黙がつづいた。その赤鬚の男は「そのあとは忘れた」というような意味のことを口のうちでつぶやいていた。それがために、彼は過去六シーズンのあいだに築き上げた上手な話し手としての名声を台なしにしてしまった。私は心の底から彼を祝福してから、料理の魚を食いはじめた。

食卓はずいぶん長い間かかって終わった。わたしは全く名残り惜しいような心持ちでキッティに別れを告げた。——たぶん、また戸の外には幽霊が私の出て来るのを待っているのだろうと思いながら。——例の赤鬚の男（シムラのヘザーレッグ先生として私に紹介された）が途中までご一緒に参りましょうと言い出したので、私も喜んでその申しいでを受けた。

わたしの予感は誤まらなかった。幽霊はもう樹蔭の路に待ち受けていた。しかも、私たちの行く手を悪魔的に冷笑しているように、前燈に灯までつけていたではないか。赤鬚の男は食事ちゅうも絶えず私の先刻の心理状態を考えていたというような態度で、たちまちに灯の見えた地点まで進んで来た。

「ねえ、パンセイ君。エリイシウムの道で何か変わった事でもあったのですかね」

この質問があまり唐突であったので、私は考えるひまもなしに返事が口から出てしまった。

「あれです」と言って、わたしは灯の方を指さした。

「私の知るところによれば、化け物などというものはまず酔っ払いの囈語か、それとも錯覚ですな。ところで今夜、あなたは酒を飲んでいられない。わたしは食事中、酔っ払いの囈語でないことを観察しましたよ。あなたの指さしている所には、なんにもないではありませんか。それだのに、あなたはまるで物に怖じた小馬のように汗を流して顫えているのを見ると、どうも錯覚らしいですな。ところで、私はあなたの錯覚について何もかも知りたいものですが、どうでしょう、一緒にわたしの家までおいでになりませんか。ブレッシングトンの坂下ですが……」

非常にありがたいことには、例の人力車が私たちを待ち構えてはいたけれども、二十ヤードほどもさきにいてくれた。――そうしてまた、この距離は私たちが歩こうが、またゆるく駈けさせようが、いつでも正しく保たれていた。そこでその夜、長いあいだ馬に乗りながら、私はいま諸君に書き残しているとほぼ同じようなことを彼にも話した。

「なるほど、あなたは私が今までみんなに話していた得意の話のうちの一つを、台なしにしておしまいなすった」と、彼は言った。「しかしまあ、あなたが経験してこられたことに免じて勘弁してあげましょう。その代りに、わたしの家へ来てくだすって、私の言う通りになさらなければいけませんよ。そうして、私があなたをすっかり癒してあげたら、もうこれに懲りて、一生婦人を遠ざけて不消化な食物をとらないようになさるのですな」

人力車は執念ぶかく、まだ前のほうにいた。そうして、私の赤鬚の友達は、幽霊のいる場所を精密にわたしから聞いて、非常に興味を感じたらしかった。

「錯覚……。ねえ、パンセイ君。……それは要するに眼と脳髄と、それから胃袋、特に胃袋からくるのですよ。あなたは非常に想像力の発達した頭脳を持っている割に、胃袋があまりに小さすぎるのです。それで、非常に不健康な眼、つまり視覚上の錯覚を生ずるのですよ。あなたの胃を丈夫になさい。そうすれば、自然に精神も安まります。それにはフランスの治療法によって肝臓の丸薬がよろしい。あなたは今日から私に治療を一任させていただきたい。なにしろあなたは、つまらない一つの現象のために、あまりに奪われ過ぎていますからな」

ちょうどその時、私たちはブレッシングトンの坂下の木蔭を進んで行った。

人力車は泥板岩(シェール)の崖の上に差し出ている一本の小松の下にぴたりと止まった。われを忘れて私もまた馬を止めたので、ヘザーレッグはにわかに呶鳴(どな)った。

「さあ、胃と脳と眼から来る錯覚患者のためにも、こんな山の麓(ふもと)でいつまでも冷たい夜の空気に当てておいていいか悪いか、考えても……。おや、あれはなんだ」

私たちの行く手に耳をつんざくような爆音がしたかと思うと、一寸さきも見えないほどの砂煙りがぱっと立った。轟(とどろ)く音、枝の裂ける音、そうして光りが十ヤードばかり——松や藪(やぶ)や、ありとあらゆる物が坂の下へ崩れ落ちて来て、われわれの道をふさいでしまった。根こぎにされた樹木はしばらくの間、泥酔して苦しんでいる巨人のようにふらふらしていたが、やがて雷(らい)のような響きと共に、他の樹のあいだに落ちて横たわった。私たちふたりの馬はその恐ろしさに、あたかも化石したように立ちすくんだ。土や石の落ちる物音が鎮まるや否(いな)や、わたしの連れはつぶやいた。

「ねえ、もし僕たちがもう少し前へ進んでいたらば、今ごろは生き埋めになっていたでしょう。まだ神様に見捨てられなかったのですな。さあ、パンセイ君。家(うち)へ行って、一つ神様に感謝しようではありませんか。それに、どうも馬鹿に喉が渇(かわ)いてね」

私たちは引っ返して教会橋を渡って、真夜中の少し過ぎたころに、ドクトル・ヘザーレッグの家に着いた。

それからほとんどすぐに、彼はわたしの治療に取りかかって、一週間というものは私から離れなかった。そのあいだ幾たびか私はシムラの親切な名医と近づきになった自分の幸運に感謝したのであった。日増しに私のこころは軽く、落ちついてきた。そうしてまた、だんだんにヘザーレッグのいわゆる胃と頭脳と眼から来るという「妖怪的幻影」の学説に共鳴していった。私は落馬してちょっとした挫傷をしたために四、五日は外出することも出来ないが、あなたが私に逢えないのを寂しく思う前には全快するであろうというような手紙を書いて、キッティに送っておいた。

ヘザーレッグ先生の治療は、はなはだ簡単であった。肝臓の丸薬、朝夕の冷水浴と猛烈な体操、それが彼の治療法であった。――もっとも、この朝夕の冷水浴と体操は散歩の代りで、彼は慎重な態度で私にむかって、「挫傷した人間が一日に十二マイルも歩いているところを婚約の婦人に見られたら、びっくりしますからな」と言っていた。

一週間の終わりに、瞳孔や脈搏を調べたり、摂食や歩行のことを厳格に注意された上で、ヘザーレッグは私を引き取った時のように、むぞうさに退院させてくれた。別れに臨んで、彼はこう祝福してくれた。

「ねえ、私はあなたの神経を癒(なお)したということを断言しますが、しかしそれよりも、あなたの疾病(しっぺい)を癒したといったほうが本当ですよ。さあ、出来るだけ早く手荷物をまとめて、キッティ嬢の愛を得に飛んでいらっしゃい」

私は彼の親切に対してお礼を言おうとしたが、彼はわたしをさえぎった。

「あなたが好きだから、わたしが治療してあげたなどと思わないでください。私の推察するところによると、あなたはまったく無頼漢のような行為をしてきなすった。が、同時にあなたは一風変わった無頼漢であるごとく、一風変わった非凡な人です。さあ、もうお帰りになってもよろしい。そうして、眼と頭と胃から来る錯覚がまた起こるかどうか。見ていてごらんなさい。もし錯覚が起こったら、そのたびごとに十万ルピーをあなたに差し上げましょう」

三十分の後には、私はマンネリング家の応接間でキッティと対座していた。――現在の幸福感と、もう二度と再び幽霊などに襲われないで済むという安心に酔いながら。――私はこの新しい確信にみずから興奮してしまって、すぐに馬に乗ってジャッコをひと廻りしないかと申し出たのであった。

四月三十日の午後、私はその時ほど血気と単なる動物的精力とを身内に溢るるように感じたことはかつてなかった。キッティはわたしの様子が変わって快活になったのを喜んで、率直な態度で明らさまに私に讃辞を浴びせかけた。私たちは一緒にマンネリング家を出ると、談笑しながら先日のように、ショタ・シムラの道に沿って馬をゆるやかに進めていった。

私はサンジョリー貯水場に行って、自分はもう幽霊に襲われないという自信をたしかめるために馬を急がせた。私たちの馬はよく走ったにもかかわらず、わたしの逸る心には遅くて遅くてたまらなかった。キッティは私の乱暴なのにびっくりしていた。

「どうしたの、ジャック」と、とうとう彼女は叫んだ。「まるでだだっ児のようね。どうしようというんです」

ちょうど私たちが尼寺の下へ来た時、わたしの馬が路から跳り出ようとしたのを、そのままにひと鞭あてて、路を突っ切って一目散に走らせた。

「なんでもありませんよ」と、私は答えた。「ただこれだけのことです。あなただって一週間も家にいたままでなんにもしなかったら、私のようにこんなに乱暴になりますよ」

　上上の機嫌で囁き、歌い、
生きている身を楽しまん。
造化の神よ、現世の神よ、
五官を統る神様よ。

まだ私の歌い終わらないうちに、私たちは尼寺の上の角をまわって、さらに三、四ヤード行くと、サンジョリーが眼の前に見えた。平坦な道のまん中に黒と白の法被と、ウェッシントン夫人の乗っている黄いろい鏡板の人力車が立ちふさがっているではないか。私は思わず手綱を引いて、眼をこすって、じっと見つめて、たしかに幽霊に相違ないと思ったが、それからさきは覚えない。ただ道の上に顔を伏せて倒れている自分のそばに、キッティが涙を流しながらひざまずいているのに気がついただけであった。

「もう行ってしまいましたか」と、わたしは喘いだ。

キッティはますます泣くばかりであった。

「行ってしまったとは……。何がです……。ジャック、いったいどうしたの。何か思い違いをしているんじゃないの」

彼女の最後の言葉を耳にすると、私はぎょっとして立ち上がった。――気が狂って――しばらくのあいだ囈語のようにしゃべり出した。

「そうです、何かの思い違いです」と、私はくりかえした。「まったく思い違いです。さあ、幽霊を見に行きましょう」

私はキッティの腰を抱えるようにして、幽霊の立っている所まで彼女を引っ張って行って、どうか幽霊に話しかけさせてくれと哀願した。

それから、自分たち二人は婚約の間柄であるから、死んでも地獄でも二人のあいだの絆を断ち切ることは出来ないぞと幽霊に話したことだけは、自分でも明瞭に記憶しているし、自分よりも更にキッティのほうがよく知っている。私は夢中になって、人力車のうちの恐ろしい人物にむかって、自分の言ったことはみな事実であるから、今後自分を殺すような苦悩（くるしみ）をゆるしてくれと、くりかえして訴えた。今になって思えば、それは幽霊に話しかけていたというよりも、ウェッシントン夫人と自分との古い関係をキッティに打ち明けたようなものであったかもしれない。真っ白な顔をして眼を光らせながら、その話にキッティが一心に耳を傾けていたのを私は見た。

「どうもありがとう、パンセイさん」と、キッティは言った。「もうたくさんです。わたしの馬を連れておいで」

東洋人らしい落ちついた馬丁が、勝手に走って行った馬を連れ戻して来ると、キッティは鞍（くら）に飛び乗った。私は彼女をしっかりと押さえて、私の言うことをよく聞いて、わたしを免（ゆる）してもらいたいと切願すると、彼女はわたしの口から眼へかけて鞭で打った。そうして、ひと言ふた言の別れの言葉を残したままで行ってしまった。

その別れの言葉――私は今もって書くに忍びない。私はいろいろに判断した結果、彼女は何もかも知ってしまったということが一番正しい解釈であると思った。わたしは人力車のほうへよろめきながら行った。私の顔にはキッティの鞭の跡がなまなましく紫色になって血が流れていた。私はもう自尊心も何もなくなってしまった。ちょうどその時、多分キッティと私のあとを遠くからついて来たのであろう、ヘザーレッグが馬を飛ばして来た。「先生」と、私は自分の顔を指さしながら言った。「ここにマンネリング嬢からの破談通知の印(しるし)があります。……十万ルピーはすぐにいただけるのでしょうね」

ヘザーレッグ先生の顔を見ると、こうした卑(いや)しむべき不幸の場合にもかかわらず、わたしは冗談を言う余裕が出てきた。

「わたしは医者としての名誉に賭けても……」

「冗談ですよ」と、わたしは言った。「それよりも、私は一生の幸福を失ってしまったのですから、私を家へ連れて行ってください」

私がこんなことを話している間に、例の人力車は消えてしまった。それから私はまったく意識を失って、ただ、ジャッコの峰がふくれあがって雲の峰のように渦を巻いて、わたしの上に落ちてきたような気がしていた。

四

それから一週間の後(のち)(すなわち、五月七日)に私はヘザーレッグの部屋に、まるで小さい子供のように弱って横たわっているのに気がついた。ヘザーレッグは机の上の書類越しに私をじっと見守っていた。かれの最初の言葉は別に私に力をつけてくれるようなものでもなかった。わたし自身もあまりに疲れ過ぎていたので、少しも感動しなかった。

「キッティさんから返してきたあなたの手紙がここにあります。さすがに若い人だけに、あなたもだいぶ文通をしたものですね。それからここに指環らしい包みがあります。それにマンネリングのお父さんからの丁寧な手紙がつけてありましたが、それは私の名宛(なあて)であったので、読んでから焼いてしまいました。お父さんはあなたに満足していないようでしたよ」

「で、キッティは……」と、私は微(かす)かな声で訊いた。

「いや、その手紙は彼女のお父さんの名にはなっていましたが、むしろ彼女の言っている言葉でしたよ。その手紙によると、あなたは彼女と恋に陥(お)ちた時に、不倫の思い出の何もかも打ち明けてしまわなければならなかったというのです。それからまた、あなたがウェッシントン夫人に仕向けたようなことを、婦人に対しておこなう男は、男子全体の名誉をよごした謝罪のために、よろしく自殺すべきであるというのですよ。彼女は若いくせに、感情に激しやすい勇婦ですからね。ジャッコへゆく途中で騒ぎが起こった時、あなたが囈(うわ)語(こと)に悩んだだけでもうじゅうぶんであるのに、彼女はあなたと再び言葉を交すくらいならば、いっそ死んでしまうというのですよ」

わたしは唸り声を発するとともに、反対の側へ寝返りを打ってしまった。

「さて、あなたはもう物を選択する力を回収していますね。ようござんすか。この婚約は破られるべき性質のものであり、また、この上にマンネリング家の人びともあなたを苛酷な目に逢わせようとは思っていません。ところで、いったいこの婚約は単なる囈語のために破られたのでしょうか、それとも癲癇的発作のためでしょうか。お気の毒ですが、あなたが自分には遺伝性癲癇があると申し出てくれなければ、私には他に適当な診断がつかないのですがね。私は特に遺伝性癲癇という言葉を申しますよ。そうして、あなたの場合はその発作だと思いますがね。シムラの人びとは婦人の一マイル競走の時のあの光景をみな知っていますよ。さあ、私は五分間の猶予をあたえますから、癲癇の血統があるか無いか考えてみてください」

そこで、この五分間——今でも私はこの世ながらの地獄のどん底をさぐり廻っていたような気がする。同時に、疑惑と不幸と絶望との常闇の迷路をつまずき歩いている自分のすがたを、私は見守っていた。そうして私もまた、ヘザーレッグが椅子に腰をかけながら知りたがっているように、自分はどっちを選択するだろうかという好奇心をもって自分をながめていたが、結局、わたしは自分自身がきわめて微かな声で返事をしたのを聞いた。

「この地方の人間はばかばかしく道徳観念が強い。それだから彼らに発作をあたえよ、へザーレッグ、それからおれの愛をあたえてくれ。さて、おれはもう少し寝なくっちゃならない」

それから二つの自己がまた一つになると、過ぎ去った日の事どもをだんだんにたどりながら、ベッドの上で蜿うち廻っている、ただの私（半分発狂し、悪魔に憑かれた私）になった。

「しかしおれはシムラにいるのだ」と、私はくりかえして自分に言った。「ジャック・パンセイというおれは、今シムラにいる。しかもここには幽霊はいないではないか。あの女がここにいるふうをしているのは不合理のことだ。何ゆえにウェッシントン夫人はおれを独りにしておくことが出来なかったのか。おれは別にあの女に対してなんの危害を加えたこともないのだ。その点においてはあの女も同じことではないか。ただ、おれはあの女を殺す目的で、あの女の手に帰って行かなかっただけのことだ。なぜおれは独りでいられないか。……独りで、幸福に……」

私が初めて目をさました時は、あたかも正午であったが、私が再び眠りかかった時分には太陽が西に傾いていた。それから犯罪者が牢獄の棚の上で苦しみながら眠るように眠ったが、あまりに疲れ切っていたので、かえって起きている時分よりも余計に苦痛を感じた。

翌日もわたしはベッドを離れることが出来なかった。その朝、ヘザーレッグは私にむかって、マンネリング氏からの返事が来たことや、彼（ヘザーレッグ）の友情的斡旋のおかげで、わたしの苦悩の物語はシムラの隅ずみまで拡がって、誰もみなわたしの立ち場に同情していてくれることなどを話してくれた。

「そうして、この同情はむしろあなたが当然受くべきものであった」と、彼は愉快そうに結論をくだした。「それに、あなたが人世の苦い経験をかなりに経て来られたことは神様が知っておられますからな。なに、心配することはありませんよ。私があなたをまた癒してあげますよ。あなたはちょっとした錯覚を自分で悪いほうに考えているのですよ」

私はもう癒ったような気がした。

「あなたはいつも親切にしてくださいますね、先生」と、私は言った。「しかし、もうこの上あなたにご心配をかける必要はないと思います」

こうは言ったものの、わたしの心のうちでは、ヘザーレッグの治療などで、私のこころの重荷を軽くすることが出来るものかと思っていた。

こう考えてくると、また私の心には、理不尽な幽霊に対してなんとなく反抗の出来ないような、頼りない、さびしい感じが起こってきた。この世の中には、自分のしたことに対する罰として死の運命を宣告された私よりも、もっと不幸な人間が少しはいるであろうから、そういう人たちと一緒ならばまだ気が強いが、たった独りでこんなに残酷な運命のもとにいるのはあまりに無慈悲だと思った。結局、あの人力車と私だけが虚無の世界における単一の存在物で、マンネリングやヘザーレッグや、その他わたしが知っているすべての人間こそみんな幽霊であって、空虚な影、まぼろしの人力車以外の大きな灰色の地獄それ自身（この世の人間ども）が私を苦しめているのだ、というような考えに変わっていった。

こうして苛(いら)いらしながら七日の間、いろいろのことを考えながら輾転反側(てんてんはんそく)しているうちに、かえって私の肉体は日増しに丈夫になっていって、寝室の鏡にうつしてみても平常と変わりがなく、ふたたびもとの人間らしくなった。そうして実に不思議なことには、わたしの顔には過去の苦悶争闘の跡が消えてしまった。なるほど、顔色は蒼かったが、ふだんのように無表情な、平凡な顔になった。実際をいうと、私はある永久の変化――私の生命をだんだんに蚕食(さんしょく)していくところの発作から来る肉体的変化を予期していたが、全然そんな変化は見えなかった。

五月十五日の午前十一時に、私はヘザーレッグの家を立ち去って、独身者の本能からすぐに倶楽部へ行った。そこではヘザーレッグが言ったように、誰も彼もわたしの話を知っていて、妙に取ってつけたように気味の悪いほど親切で、鄭重(ていちょう)にしてくれるのに気がついたので、寿命のあらん限りは自分の仲間のうちにいようと肚(はら)をきめた。しかしその仲間の一人になり切ってしまうことは出来なかった。したがって私には、倶楽部の下の木蔭でなんの苦もなさそうに笑っていられる苦力らが憎らしいほどに羨ましかった。

私は倶楽部で昼飯を食って、四時頃にぶらりと外へ出ると、キッティに逢えはしないかという漠然とした希望をいだきながら木蔭の路へ降りていった。音楽堂の近くで、黒と白の法被がわたしのそばに来るなと思う間もなく、ウェッシントン夫人のいつもの歎願の声が耳のそばに聞こえた。実は外へ出た時からすでに予期していたので、むしろその出現が遅いのに驚いたくらいであった。それからまぼろしの人力車と私とはショタ・シムラの道に沿って、摺れすれに肩を並べながら黙って歩いて行った。物品陳列館の近所で、キッティが一人の男と馬を並べながら私たちを追い越した。彼女はまるで路ばたの犬でも見るような眼で、私を見返っていった。ちょうど夕方ではあり、雨さえ降っていたので、私がわからなかったというかもしれないが、彼女は人を追い越してゆくに挨拶さえもしなかった。

こうしてキッティとその連れの男と、私とわたしの無形の愛の光りとは、ふた組になってジャッコの周囲を徐行した。道は雨水で川のようになっている。松からは樋のように下の岩へ雨だれを落としている。空気は強い吹き降りの雨に満ちている。

「おれは賜暇を得てシムラに来ているジャック・パンセイだ。……シムラに来ているのだ。来る日も、来る日も、平凡なシムラ……。だが、おれはここを忘れてはならないぞ……忘れてはならないぞ」と、わたしは二、三度、ほとんど大きい声を立てんばかりに独りごとを言っていた。

それから倶楽部で耳にしたきょうの出来事の二、三、たとえばなにがしが所有の馬の値いはいくらであったというような事――私のよく知っている印度居住の英国人の実生活に関係ある事どもを追想してみようとした。また、わたしは自分が気が違っていないということをしっかりと頭に入れようと思って、出来るだけ早く掛け算の表をさえくりかえしてみた。その結果は、わたしに非常な満足をもたらした。そのためにしばらくの間は、ウェッシントン夫人の言葉に耳を傾けるのを中止しなければならなかった。

もう一度、わたしは疲れた足を引き摺りながら尼寺の坂道を登って、平坦な道へ出た。そこからキッティと例の男とは馬をゆるやかに走らせたので、私はウェッシントン夫人と二人ぎりになった。

「アグネス」と、私は言った。「幌をうしろへ落としたらどうです。そうして、こうやって始終人力車に乗って私につきまとうのは、いったいどういうわけだか話してください」

幌は音もなく落ちて、わたしは死んで埋められた夫人と顔を突き合わせた。

彼女はわたしが生前に見た着物を着て、右の手にいつもの小さいハンカチーフを持ち、左の手にやはりいつもの名刺入れを持っていた。（ある婦人が八ヵ月前に名刺入れを持って死んだことがあった。）さあ、こうなって来ると、わたしは現在と過去との区別がつきかねたので、また少なくとも自分は気が狂っていないということをたしかめるために、路ばたの石の欄干の上に両手を置いて、掛け算の表をくりかえさなければならなかった。

「アグネス」と、わたしはくりかえした。「どうか私にそのわけを話してください」

ウェッシントン夫人は前かがみになると、いつもの癖で、妙に早く首を傾げてから口をひらいた。

もしもまだ、私の物語はあまりに気違いじみて諸君には信じられないというほどでないというのであったら、私はいま諸君に感謝しなければならない。誰も――私はキッティのために自分の行為のある種の弁明としてこれを書いているのであるが、そのキッティでさえも――私を信じてくれないであろうということを知っているけれども、とにかくに私は自分の物語を進めてゆこう。

ウェッシントン夫人は話し出した。そうして、私は彼女と一緒にサンジョリーの道から印度総督邸の下の曲がり角まで、まるで生きている婦人の人力車と肩をならべて歩いているようにして、夢中に話しながら来てしまった。すると、急に再度の発作が襲ってきたので、テニソンの詩に現われてくる王子のように、わたしは幽霊界をさまよっているような気になった。

総督邸では園遊会を催しているので、私たち二人は帰途につく招待客の群集に巻き込まれてしまった。私にはかれら招待客がみな本物の幽霊に見えてきた。――しかもウェッシントン夫人の人力車をやりすごさせるために、かれらは道をひらいたではないか。

この考えてもぞっとするような会見ちゅうに、私たちが話し合ったことは、私として話すことは出来ないし、また、あえて話したくもない。ヘザーレッグはこれについて、ただちょっと笑ってから、私が胃と脳と眼とから来る幻想に執着しているのだと批評していた。あの人力車の幻影はものすごいとともに、非常に愛すべき（それはちょっと解釈しにくいが）一つの存在であった。かつては私自身が残酷な目に逢わせた上に、捨て殺しにしてしまったウェッシントン夫人を、私はこの世に生きている間にもう一度口説きたくなってきたが、それは出来ないことであろうか。

帰りがけに私はキッティにまた逢った。――彼女もまた幽霊の仲間の一人であった。

もしもこの物語の順序で、次の四日間の出来事をすべて記述しなければならないとしたなら、私のこの物語はいつまでいっても終わるまい。諸君も倦（あ）きてくるであろう。しかしとにかくに、朝といわず、夕といわず、わたしと人力車の幽霊とはいつも一緒にシムラをさまよい歩いた。私のゆく所には、黒と白の法被がつきまとい、ホテルの往復にも私の道連れとなり、劇場へゆけば客を呼んでいる苦力の群れのあいだに彼らがまじっているのである。夜更けまで骨牌（カルタ）をしたのちに、倶楽部の露台（バルコニー）へ出ると、彼らはそこにもいる。誕生日の舞踏会に招かれてゆけば、かれらは根気よく私の出て来るのを待っているばかりでなく、私が誰かを訪問にゆくときには白昼にも現われた。

そうして、ただその人力車には影がないという以外は、すべての点において木と鉄で出来ている一般の人力車とちっとも変わりがなかった。一度ならず私は、ある乗馬の下手な友達が、その人力車を馬で踏み越えてゆくのを呼び止めようとして、はっと気がついて口をつぐんだことがあった。また、私は木蔭の路をウェッシントン夫人と話しながら歩いていたので、往来の人たちは呆気に取られていたこともたびたびあった。

わたしが床を離れて外出が出来るようになった一週間前に、ヘザーレッグの発作説が発狂説に変わっていたのを知った。いずれにもせよ、私は自分の生活様式を変えなかった。私は人を訪問した。馬に乗った。以前と同じような心持ちで食事をした。私は今までかつて感知したことのなかったまぼろしの社会というものに対して渇望していたので、実生活の間にそれを漁ると同時に、わたしの幽霊の伴侶に長いあいだ逢えないでいるということに、漠然とした不幸を感じた。五月十五日より今日に至るまでの、こうした私の変幻自在の心持ちを書くということは、ほとんど不可能であろう。

人力車の出現は、わたしの心を恐怖と、盲目的畏敬と、漠然たる喜悦と、それから極度の絶望とで交るがわるに埋めた。私はシムラを去るに忍びなかった。しかも私はシムラにいれば、自分が結局殺されるということを百も承知していた。その上に、一日一日と少しずつ弱って死んでゆくのが私の運命であることも知っていた。ただ私は、出来るだけ静かに懺悔をしたいというのが、ただ一つの望みであった。

それから私は人力車の幽霊を求めるとともに、キッティがわたしの後継者——もっと厳密にいえば、わたしの後継者ら——と喋喋喃喃と語らっている復讐的の姿を、愉快な心持ちでひと目見たいと思って探し求めた。愉快な心持ちと言ったのは、わたしが彼女の生活から放れてしまっているからである。昼のあいだ私はウェッシントン夫人と一緒に喜んで歩きまわって、夜になると私は神にむかって、ウェッシントン夫人と同じような世界に帰らせてくれるように哀願した。そうして、これらの種じゅの感情の上に、この世の中の有象無象が一つの憐れなたましいを墓に追いやるために、こんなにも騒いでいるのかという、ぼんやりした弱い驚きの感じが横たわっている。

八月二十七日——ヘザーレッグは実に根気よく私を看病していた。そうして、きのう私にむかって、病気賜暇願いを送らなければならないと言った。そんなものは、まぼろしの仲間を遁れるための願書ではないか。五人の幽霊とまぼろしの人力車を去るために英国へ帰らせてくれと、政府の慈悲を懇願しろと言うのか。ヘザーレッグの提議は、わたしをほとんどヒステリカルに笑わせてしまった。

私は静かにこのシムラで死を待っていることを彼に告げた。実際もう私の余命は幾許もないのである。どうか私がとうてい言葉では言い表わせないほど、この世の中に再生するのを恐れているということと、わたしは自分が死ぬときの態度について、かず限りなく考えては煩悶しているということを信じていただきたい。

私は英国の紳士が死ぬときのように、寝床の上に端然として死ぬであろうか。あるいはまた、最後にもう一度木蔭の路を歩いているうちに、私の霊魂がわたしから放れて、あの幽霊のそばで永遠に帰るのであろうか。そうしてあの世へ行って、わたしが遠い昔に失ってしまった純潔さを取り戻すか。あるいはまた、ウェッシントン夫人に出逢って、いやいやながら彼女のそばで永遠に暮らすのであろうか。時というものが終わるまで、私たちの生活の舞台の上をわれわれ二人が徘徊するのであろうか。

わたしの臨終の日が近づくにしたがって、墓のあなたから来る幽霊に対して、生ける肉体の感ずる心中の恐怖はだんだんに力強くなってくる。諸君の生命の半分を終わらないうちに、死の谷底へ急転直下するのは恐ろしいことである。さらに何千倍も恐ろしいのは、諸君のまんなかにあって、そうした死を待っていることである。なんとなれば、私にはすべての恐怖をみな想像することが出来るからである。少なくとも私の幻想の点についてだけでも、わたしを憐れんでいただきたい。――わたしは諸君が今までに私の書いたことを少しも信じないであろうことを知っているから。――今や一人の男が暗黒の力のために死になんなんとしている。ああ、その男は私である。

公平にまた、ウェッシントン夫人をも憐れんでいただきたい。彼女は実際、永遠に男のために殺されたのである。そうして、彼女を殺したものは私である。わたしの罰の分け前は今や自分自身の上にかかっている。

上床（アッパーバース）

クラウフォード

クラウフォード　Francis Marion Crawford

米国の小説家。父のトーマス・クラウフォードは彫刻家にしてローマに永住し、彼は一八五四年八月二日、タスカニーに生まる。後に印度に住みたることもあり。その小説は筋立の巧みなるをもって知らる。一九〇九年四月九日逝く。

一

誰かが葉巻(シガー)を注文した時分には、もう長いあいだ私たちは話し合っていたので、おたがいに倦(あ)きかかっていた。煙草のけむりは厚い窓掛けに喰い入って、重くなった頭にはアルコールが廻っていた。もし誰かが睡気をさまさせるようなことをしない限りは、自然の結果として、来客のわれわれは急いで自分たちの部屋へかえって、おそらく寝てしまったに相違なかった。

誰もがあっと言わせるようなことを言わないのは、誰もあっと言わせるような話の種を持っていないということになる。そのうちに一座のジョンスが最近ヨークシャーにおける銃猟の冒険談をはじめると、今度はボストンのトンプキンス氏が、人間の労働供給の原則を細目(さいもく)にわたって説明し始めた。

それによると、アッチソンやトペカやサンタ・フェ方面に敷設された鉄道が、その未開の地方を開拓して州の勢力を延長したばかりでなく、また、その工事を会社に引き渡す以前から、その地方の人びとに家畜類を輸送して飢餓を未然に防いだばかりでなく、長年のあいだ切符を買った乗客に対して、前述の鉄道会社がなんらの危険なしに人命を運搬し得るものと妄信させたのも、一にこの人間の労働の責任と用心ぶかき供給によるものであるというのであった。

すると、今度はトムボラ氏が、彼の祖国のイタリー統一は、あたかも偉大なるヨーロッパの造兵廠の精巧なる手によって設計された最新式の魚形水雷のようなものであって、その統一が完成されたあかつきには、それが弱い人間の手によって、当然爆発すべき無形の地、すなわち混沌たる政界の荒野に投げられなければならないということを、われわれに納得させようとしていたが、そんな論説はもう私たちにはどうでもよかった。

この上にくわしくこの会合の光景を描写する必要はあるまい。要するに、私たちの会話なるものは、いたずらに大声叱呼しているが、プロミティウス（古代ギリシャの神話中の人物）であったらば耳もかさずに自分の岩に孔をあけているであろうし、タンタラス（同じく神話中の人）であったら気が遠くなってしまうであろうし、またイキシイオン（ギリシャ伝説中の人）であったらわれわれの話などを聴くくらいならばオルレンドルフ氏のお説教でも聞いているほうが優しだと思わざるを得ないくらいに、実に退屈至極のものであった。それにもかかわらず、私たちは数時間もテーブルの前に腰をおろして、疲れ切ったのを我慢して貧乏ゆるぎ一つする者もなかった。

誰かがシガーを注文したので、私たちはその人のほうを見かえった。その人はブリスバーンといって、常に人びとの注目の的となっているほどに優れた才能を持っている三十五、六の男盛りであった。彼の風采は、割合に背丈が高いというぐらいのことで、普通の人間の眼には別にどことといって変わったところは見えなかった。その背丈も六フィートより少し高いぐらいで、肩幅がかなり広いぐらいで、たいして強そうにも見えなかったが、注意してみると、たしかに筋肉たくましく、その小さな頭は頑丈な骨組みの頸によって支えられ、その男性的な手は胡桃割りを持たずとも胡桃を割ることが出来そうであり、横から見ると誰でもその袖幅が馬鹿に広く出来ているのや、並外れて胸の厚いのに気がつかざるを得ないのであった。いわば、彼はちょっと見ただけでは別に強そうでなくして、その実は見掛けよりも遙かに強いという種類の男であった。その顔立ちについてはあまり言う必要もないが、とにかく前にも言ったように、彼の頭は小さくて、髪は薄く、青い眼をして、大きな鼻の下にちょっぴりと口髭を生やした純然たるユダヤ系の風貌であった。どの人もブリスバーンを知っているので、彼がシガーを取り寄せたときには、みな彼の方を見た。

「不思議なこともあればあるものさ」と、ブリスバーンは口をひらいた。

どの人もみな話をやめてしまった。彼の声はそんなに大きくはなかったが、お座なりの会話を見抜いて、鋭利なナイフでそれを断ち切るような独特の声音（こわね）であった。一座は耳を傾けた。ブリスバーンは自分が一座の注目の的となっているのを心得ていながら、平然とシガーをくゆらせて言いつづけた。

「まったく不思議な話というのは、幽霊の話なんだがね。いったい人間という奴は、誰か幽霊を見た者があるかどうかと、いつでも聞きたがるものだが、僕はその幽霊を見たね」

「馬鹿な」

「君がかい」

「まさか本気じゃあるまいね、ブリスバーン君」

「いやしくも知識階級の男子として、そんな馬鹿な」

こういったような言葉が同時に、ブリスバーンの話に浴びせかけられた。なんだ、つまらないといったような顔をして、一座の面めんはみなシガーを取り寄せると、司厨夫（バットラー）のスタッブスがどこからとなしに現われて、アルコールなしのシャンパンの壜（びん）を持って来たので、だれかかった一座が救われた。ブリスバーンは物語をはじめた。

僕は長いあいだ船に乗っているので、頻繁に大西洋を航海する時、僕は変な好みを持つようになった。もっとも大抵の人間にはめいめいの好みというものはある。たとえて言えば、僕はかつて、自分の好みの特種の自動車が来るまで、ブロード・ウェイの酒場で四十五分も待っていた一人の男を見たことがあった。まあ、僕に言わせると、酒場の主人などという者は、そうした人間の選りごのみの癖のお蔭で、三分の一は生活が立っていけるのであろう。で、僕にも大西洋を航海しなければならない時には、ある極まった汽船を期待する癖がある。それはたしかに偏寄った癖かもしれないが、とにかく、僕には、たった一遍、一生涯忘れられないほどの愉快な航海があった。

僕は今でもよくそれを覚えている。それは七月のある暑い朝であった。検疫所から来る一艘の汽船を待っている間、税関吏たちはふらふらと波止場を歩いていたが、その姿は特に靄でぼんやりしていて、いかにも思慮のありそうに見えた。僕には荷物がほとんどなかった、というよりは全くなかったので、乗船客や運搬人や真鍮ボタンの青い上衣を着た客引きたちの人波にまじって、その船の着くのを待っていた。

汽船が着くと、例の客引きたちはいち早く茸のようにデッキに現われて、一人一人の客に世話を焼いていた。僕はある興味をもって、こうした人びとの自発的行動をしばしば注意して見ていたのであった。やがて水先案内が「出帆！」と叫ぶと、運搬夫や、例の真鍮ボタンに青い上衣の連中は、まるでダビー・ジョンスが事実上監督している格納庫へ引き渡されてしまったように、わずかの間にデッキや舷門から姿を消したが、いざ出帆の間ぎわになると、綺麗に鬚(ひげ)を剃って、青い上衣を着て、祝儀(チップ)をもらうのにあくせくしている客引きたちは再びそこへ現われた。僕も急いで乗船した。

　カムチャツカというのは僕の好きな船の一つであった。僕があえて「あった」という言葉を使うのは、もう今ではその船をたいして好まないのみならず、実は二度と再びその船で航海したいなどという愛着はさらさら無いからである。まあ、黙って聞いておいでなさい。そのカムチャツカという船は船尾は馬鹿に綺麗だが、船首の方はなるたけ船を水に浸(ひた)させまいというところから恐ろしく切っ立っていて、下の寝台は大部分が二段(ダブル)になっていた。そのほかにもこの船にはなかなか優れている点はたくさんあるが、もう僕はその船で二度と航海しようとは思わない。話が少し脇道へそれたが、とにかくそのカムチャツカ号に乗船して、僕はその給仕(スチュワード)に敬意を表した。その赤い鼻とまっかな頬鬚がどっちとも気に入ったのである。

「下の寝台の百五号だ」と、大西洋を航海することは、下町(したまち)のデルモニコ酒場でウィスキーやカクテルの話をするくらいにしか考えていない人間たち特有の事務的の口調で、僕は言った。

給仕は僕の旅行鞄と外套と、それから毛布を受け取った。僕はそのときの彼の顔の表情を忘れろと言っても、おそらく忘れられないであろう。むろん、かれは顔色を変えたのではない。奇蹟ですら自然の常軌を変えることは出来ないと、著名な神学者連も保証しているのであるから、僕も彼が顔色を真っ蒼にしたのではないというのにあえて躊躇（ちゅうちょ）しないが、しかしその表情から見て、彼が危うく涙を流しそうにしたのか、嚔（くさめ）をしそこなったのか、それとも僕の旅行鞄を取り落とそうとしたのか、なにしろはっとしたことだけは事実であった。その旅行鞄には、僕の古い友達のスニッギンソン・バン・ピッキンスから餞別（せんべつ）にもらった上等のシェリー酒が二壜はいっていたので、僕もいささか冷やりとしたが、給仕は涙も流さず、くさめもせず、旅行鞄を取り落とさなかった。

「では、ど……」と、こう低い声で言って、彼は僕を案内して、地獄（船の下部）へ導いて行った時、この給仕は少し酔っているなと心のなかで思ったが、僕は別になんにも言わずに、その後からついていった。

百五号の寝台は左舷のずっとあとのほうにあったが、この寝台については別に取り立てて言うほどのこともなかった。カムチャツカ号の上部にある寝台の大部分は皆そうであったが、この下の寝台も二段になっていた。寝台はたっぷりしていて、北アメリカインディアンの心に奢侈（おごり）の念を起こさせるようなありきたりの洗面装置があり、歯ブラシよりも大型の雨傘が楽らく掛かりそうな、役にも立たない褐色の木の棚が吊ってあった。余分な掛け蒲団の上には、近代の大諧謔家が冷蕎麦菓子と比較したがるような毛布が一緒に畳んであった。但し、手拭掛けがないのには全く閉口した。ガラス壜には透明な水がいっぱいにはいっていたが、やや褐色を帯びていて、そんなに不快なほどに臭くはないが、ややもすれば船よいを感じさせる機械の油の匂いを連想させるような微かな臭味が鼻を打った。僕の寝台には、陰気なカーテンが半分しまっていて、靄でいぶしをかけられたような七月の日光は、そのわびしい小さな部屋へ淡い光りを投げかけていた。実際その寝台はどうも虫が好かなかった。

給仕は僕の手提げ鞄を下に置くと、いかにも逃げ出したいような顔をして、僕を見た。おそらくほかの乗客たちのところへ行って、祝儀にありつこうというのであろう。そこで、僕もこうした職務の人たちを手なずけておくほうが便利であると思って、すぐさま彼に小銭をやった。

「どうぞ行き届きませんところは、ご遠慮なくおっしゃってください」と、彼はその小銭をポケットに入れながら言った。

しかもその声のうちには、僕をびっくりさせるような可怪な響きがあった。たぶん僕がやった祝儀が足りなかったので、不満足であったのであろうが、僕としては、はっきりと心の不平をあらわしてもらったほうが、黙っていられるよりも優しだと思った。但し、それが祝儀の不平でないことが後にわかったので、僕は彼を見損なったわけであった。

その日一日は別に変わったこともなかった。カムチャッカ号は定刻に出帆した。海路は静穏、天気は蒸し暑かったが、船が動いていたので爽かな風がそよそよと吹いていた。すべての乗客は船に乗り込んだ第一日がいかに楽しいものであるかを知っているので、甲板を徐かに歩いたり、お互いにじろじろ見かわしたり、または同船していることを知らずにいた知人に偶然出逢ったりしていた。

最初の二回ほど食堂へ出てみないうちは、この船の食事が良いか悪いか、あるいは普通か、見当がつかない。船が炎の嶋を出ないうちは、天候もまだわからない。最初は食卓もいっぱいであったが、そのうちに人が減ってきた。蒼い顔をした人たちが自分の席から飛び立って、あわただしく入り口の方へ出て行ってしまうので、船に馴れた連中はすっかりいい心持ちになって、うんと腹帯をゆるめて献立表を初めからしまいまで平らげるのである。

大西洋を一度や二度航海するのとは違って、われわれのように度かさなると、航海などは別に珍らしくないことになる。鯨や氷山は常に興味の対象物であるが、しょせん鯨は鯨であり、たまに目と鼻のさきへ、氷山を見るというまでのことである。ただ大洋の汽船で航海しているあいだに一番楽しい瞬間といえば、まず甲板を運動した挙げ句に最後のひと廻りをしている時と、最後の一服をくゆらしている時と、それから適度にからだを疲れさせて、子供のような澄んだ心持ちで自由に自分の部屋へはいるときの感じである。

　船に乗った最初の晩、僕は特に懶(ものう)かったので、ふだんよりは、ずっと早く寝ようと思って、百五号室へはいると、自分のほかにも一人の旅客があるらしいので、少しく意外に思った。僕が置いたのとは反対側の隅に、僕のと全く同じ旅行鞄が置いてあって、上段の寝台――上床(アッパーバース)――にはステッキや蝙蝠(こうもり)傘と一緒に、毛布がきちんと畳んであった。僕はたった一人でいたかったのでいささか失望したが、いったい僕の同室の人間は何者だろうという好奇心から、彼がはいって来たらその顔を見てやろうと待っていた。

　僕が寝床へもぐり込んでから、ややしばらくしてその男ははいって来た。彼は、僕の見ることのできた範囲では、非常に背丈(せい)の高い、恐ろしく痩せた、そうしてひどく蒼い顔をした男で、茶色の髪や頰ひげを生やして、灰色の眼はどんよりと曇っていた。僕は、どうも怪しい風体の人間だなと思った。諸君は、ウォール・ストリートあたりを、別に何をしているということもなしにぶらぶらしている種類の人間をきっと見たに相違ない。またはキャフェ・アングレへしばしば現われて、たった一人でシャンパンを飲んでいたり、それから競技場などで別に見物するでもなしにぶらぶらしているような男――彼はそうした種類の人間であった。彼はややおしゃれで、しかもどことなく風変わりなところがあった。こういったふうの人間は大抵どの航路の汽船にも二、三人はいるものである。

　そこで、僕は彼と近づきになりたくないものだと思ったので、彼と顔を合わさないようにするために、彼の日常の習慣を研究しておこうと考えながら眠ってしまった。その以来、もし彼が早く起きれば、僕は彼よりも遅く起き、もし彼がいつまでも寝なければ、僕は彼よりもさきに寝床へもぐり込んでしまうようにしていた。むろん、僕は彼がいかなる人物であるかを知ろうとはしなかった。もし一度こういう種類の男の素姓を知ったが最後、その男は絶えずわれわれの頭のなかへ現われてくるものである。しかし百五号室における第一夜以来、二度とその気の毒な男の顔を見なかったので、僕は彼について面倒な穿索をせずに済んだ。

　鼾をかいて眠っていた僕は、突然に大きい物音で目をさまされた。その物音を調べようとして、同室の男は僕の頭の上の寝台から一足飛びに飛び降りた。僕は彼が不器用な手つきで扉の掛け金や貫木をさぐっているなと思っているうちに、たちまちその扉がばたりとひらくと、廊下を全速力で走ってゆく彼の跫音がきこえた。扉は開いたままになっていた。船はすこし揺れてきたので、僕は彼がつまずいて倒れる音がきこえてくるだろうと耳を澄ましていたが、彼は一生懸命に走りつづけてでもいるように、どこへか走っていってしまった。船がゆれるごとに、ばたんばたんと扉が煽られるのが、気になってたまらなかった。僕は寝台から出て、扉をしめて、闇のなかを手さぐりで寝台へかえると、再び熟睡してしまって、何時間寝ていたのか自分にも分からなかった。

二

眼をさました時は、まだ真っ暗であった。僕は変に不愉快な悪寒がしたので、これは空気がしめっているせいであろうと思った。諸君は海水で湿っている船室の一種特別な臭いを知っているであろう。僕は出来るだけ蒲団をかけて、あすあの男に大苦情を言ってやる時のうまい言葉をあれやこれやと考えながら、また、うとうとと眠ってしまった。そのうちに、僕の頭の上の寝台で同室の男が寝返りを打っている音がきこえた。たぶん彼は僕が眠っている間に帰って来たのであろう。やがて彼がむむうとひと声うなったような気がしたので、さては船暈だなと僕は思った。もしそうであれば、下にいる者はたまらない。そんなことを考えながらも、僕はまた、うとうとと夜明けまで眠った。

船は昨夜よりもよほど揺れてきた。そうして、舷窓からはいってくる薄暗いひかりは、船の揺れかたによって、その窓が海の方へ向いたり、空の方へ向いたりするたびごとに色が変わっていた。

七月というのに、馬鹿に寒かったので、僕は頭をむけて窓のほうを見ると、驚いたことには、窓は鉤(かぎ)がはずれてあいているではないか。僕は上の寝台の男に聞こえよがしに悪口を言ってから、起き上がって窓をしめた。それからまた寝床へ帰るときに、僕は上の寝台に一瞥(いちべつ)をくれると、そのカーテンはぴったりとしまっていて、同室の男も僕と同様に寒さを感じていたらしかった。すると、今まで寒さを感じなかった僕は、よほど熟睡していたのだなと思った。

ゆうべ僕を悩ましたような、変な湿気の臭いはしていなかったが、船室の中はやはり不愉快であった。同室の男はまだ眠っているので、ちょうど彼と顔を合わさずに済ませるにはいい機会であったと思って、すぐに着物を着かえて、甲板へ出ると、空は曇って温かく、海の上からは油のような臭いがただよってきた。僕が甲板へ出たのは七時であった。いや、あるいはもう少し遅かったかもしれない。そこで朝の空気をひとりで吸っていた船医(ドクトル)に出会った。東部アイルランド生まれの彼は、黒い髪と眼を持った、若い大胆そうな偉丈夫で、そのくせ妙に人を惹(ひ)きつけるような暢気な、健康そうな顔をしていた。

「やあ、いいお天気ですな」と、僕は口を切った。

「やあ。いいお天気でもあり、いいお天気でもなし、なんだか私には朝のような気がしませんな」

船医は待ってましたというような顔をして、僕を見ながら言った。

「なるほど、そういえばあんまりいいお天気でもありませんな」と、僕も相槌を打った。

「こういうのを、わたしは黴臭い天気と言っていますがね」と、船医は得意そうに言った。

「ときに、ゆうべは馬鹿に寒かったようでしたね。もっとも、あんまり寒いのでほうぼう見まわしたら、窓があいていました。寝床へはいる時には、ちっとも気がつかなかったのですが、お蔭で部屋が湿気てしまいました」と、僕は言った。

「しけていましたか。あなたの部屋は何号です」

「百五号です」

すると、僕のほうがむしろ驚かされたほどに、船医はびっくりして僕を見つめた。

「どうしたんですか」と、僕はおだやかに訊いた。

「いや、なんでもありません。ただ最近、三回ほどの航海のあいだに、あの部屋ではみなさんから苦情が出たものですから……」と、船医は答えた。

「わたしも苦情を言いますね。どうもあの部屋は空気の流通が不完全ですよ。あんな所へ入れるなんて、まったくひど過ぎますな」

「実際です。私にはあの部屋には何かあるように思われますがね……。いや、お客さまを怖がらせるのは私の職務ではなかった」

「いや、あなたは私を怖がらせるなどと、ご心配なさらなくてもようござんすよ。なに、少しぐらいの湿気は我慢しますよ。もし風邪でも引いたら、あなたのご厄介になりますから」

こう言いながら、僕は船医にシガーをすすめた。彼はそれを手にすると、よほどの愛煙家とみえて、どこのシガーかを鑑定するように眺めた。

「湿気などは問題ではありません。とにかくあなたのお体に別条ないということはたしかですからな。同室のかたがおありですか」

「ええ。一人いるのです。その先生ときたら、夜なかに戸締りをはずして、扉をあけ放しておくという厄介者なのですからね」

船医は再び僕の顔をしげしげと見ていたが、やがてシガーを口にくわえた。その顔はなんとなく物思いに沈んでいるらしく見えた。

「で、その人は帰って来ましたか」

「わたしは眠っていましたが、眼をさました時に、先生が寝返りを打つ音を聞きました。それから私は寒くなったので、窓をしめてからまた寝てしまいましたが、けさ見ますと、その窓はあいているじゃありませんか……」

船医は静かに言った。

「まあ、お聴きなさい。私はもうこの船の評判なぞはかまっていられません。これから私のすることをあなたにお話し申しておきましょう。あなたはどういうおかたか、ちっとも知りませんが、私は相当に広い部屋をここの上に持っておりますから、あなたは私と一緒にそこで寝起きをなさい」

こうした彼の申しいでには、僕も少なからず驚かされた。どうして船医が急に僕のからだのことを思ってくれるようになったのか、なにぶん想像がつかなかった。なんにしても、この船について彼が話した時の態度はどうも変であった。

「いろいろとご親切にありがとうございますが、もう船室も空気を入れ替えて、湿気も何もなくなってくると思います。しかしあなた、なぜこの船のことなんかかまわないと言われるのですか」と、私は訊いた。

「むろん、私たちは医者という職業の上からいっても、迷信家でないことは、あなたもご承知くださるでしょう。が、海というものは人間を迷信家にしてしまうものです。私はあなたにまで迷信をいだかせたくはありませんし、また恐怖心を起こさせたくもありませんが、もしもあなたが私の忠告をおいれくださるなら、とにかく私の部屋へおいでなさい」

船医はまた次のように言葉をつけ加えた。

「あなたが、あの百五号船室でお寝(やす)みになっているということを聞いた以上、やがてあなたが海へ落ち込むのを見なければならないでしょうから……。もっとも、これはあなたばかりではありません」

「それはどうも……。いったいどうしたわけですか」

僕は訊き返すと、船医は沈みがちに答えた。

「最近、三航海のあいだに、あの船室で寝た人たちはみんな海のなかへ落ち込んでしまったという事実があるのです」

僕は告白するが、人間の知識というものほど恐ろしく不愉快なものはない。僕はこのなまじいな知識があったために、かれが僕をからかっているのかどうかを見きわめようと思って、じっとその顔を穴のあくほど見ていたが、船医はいかにも真面目な顔をしているので、僕は彼のその申しいでを心から感謝するとともに、自分はその特別な部屋に寝たものは誰でも海へおちるという因縁の、除外例の一人になってみるつもりであるということを船医に語ると、彼はあまり反対もしなかったが、その顔色は前よりも更に沈んでいた。そうして、今度逢うまでにもう一度、彼の申しいでをよく考えたほうがよかろうということを、暗暗裡（あんあんり）にほのめかして言った。

それからしばらくして、僕は船医と一緒に朝飯を食いにゆくと、食卓にはあまり船客が来ていなかったので、僕はわれわれと一緒に食事をしている一、二名の高級船員が妙に沈んだ顔をしているのに気づいた。朝飯が済んでから、僕は書物を取りに自分の部屋へゆくと、上の寝台のカーテンはまだすっかりしまっていて、なんの音もきこえない。同室の男はまだ寝ているらしかった。

僕は部屋を出たときに、僕をさがしている給仕に出逢った。彼は船長が僕に逢いたいということをささやくと、まるである事件から遁(のが)れたがっているかのように、そそくさと廊下を駈けていってしまった。僕は船長室へゆくと、船長は待ち受けていた。

「やあ、どうもご足労をおかけ申して済みませんでした。あなたにちとお願いいたしたいことがございますもので……」と、船長は口を切った。

僕は自分に出来ることならば、なんなりとも遠慮なくおっしゃってくださいと答えた。

「実は、あなたの同室の船客が行くえ不明になってしまいました。そのかたはゆうべ宵のうちに船室にはいられたことまでは分かっているのですが、あなたはそのかたの態度について、何か不審な点をお気づきになりませんでしたか」

たった三十分前に、船医が言った恐ろしい事件が実際問題となって僕の耳にはいった時、僕は思わずよろけそうになった。

「あなたがおっしゃるのは、わたしと同室の男が海へ落ち込んだという意味ではないのですか」

僕は訊き返すと、船長は答えた。

「どうもそうらしいので、わたしも心配しておるのですが……」

「実に不思議なこともあればあるものですな」

「なぜですか」と、今度は船長が訊き返した。

「では、いよいよあの男で四人目ですな」

こう言ってから、僕は船長の最初の質問の答えとして、船医から聞いたとは言わずに、百五号船室に関して聞いた通りの物語を明細に報告すると、船長は僕が何もかも知っているのにびっくりしているらしかった。それから、僕はゆうべ起こった一部始終を彼にすっかり話して聞かせた。

「あなたが今おっしゃった事と、今までの三人のうち二人の投身者と同じ船室にいた人がわたしに話された事と、ほとんど全く一致しています」と、船長は言った。「前の投身者たちも寝床から跳(おど)り出すと、すぐに廊下を走っていきました。三人のうち二人が海中に落ち込むのを見張りの水夫がみつけたので、私たちは船を停めて救助艇をおろしましたが、どうしても発見されませんでした。もし、ほんとうに投身したとしても、ゆうべは誰もそれを見た者も聴いた者もなかったのです。あの船室を受け持ちの給仕は迷信の強い男だものですから、どうも何か悪いことが起こりそうな気がしたというので、けさあなたの同室の客をそっと見にゆくと、寝台は空になって、そこにはその人の着物が、いかにもそこへ残しておいたといった風に散らかっていたのです。この船中であなたの同室の人を知っているのはあの給仕だけなので、彼は隈なく船中を捜しましたが、どうしてもその行くえが分からないのです。で、いかがでしょう、この出来事を他の船客たちに洩らさないようにお願いいたしたいのですが……。私はこの船に悪い名を付けさせたくないばかりでなく、この投身者の噂ほど船客の頭を脅迫すものはありませんからな。そうしてあなたには、高級船員の部屋のうちのどれか一つに移っていただきたいのですが……。むろん、わたしの部屋でも結構です。いかがです、これならばまんざら悪い条件ではないと思いますが……」

「非常に結構です」と、僕も言った。「いかにも承知いたしました。が、私はあの部屋が独占できるようになったのですから、むしろそこにじっとしていたいと思うのです。もし給仕があの不幸な男の荷物を出してしまってくれれば、わたしは喜んで今の部屋に残っています。もちろん、この事件については何事も洩らしませんし、また、自分はあの同室の男の二の舞はしないということを、あなたにお約束できるつもりでいます」

船長は僕のこの向う見ずな考えを諫止しようと努めたが、僕は高級船員の居候を断わって、かの一室を独占することにした。それは馬鹿げた事であったかどうかは知らないが、もしもその時に船長の忠告を容れたならば、僕は平平凡凡の航海をして、おそらくこうして諸君に話すような奇怪な経験は得られなかったであろう。今まで百五号船室に寝た人間のあいだに起こった再三の投身事件の不快な一致点は船員らの頭に残っているだろうが、もうそんな一致点などは未来永劫なくしてみせるぞと、僕は肚のなかで決心した。

いずれにしても、その事件はまだ解決しなかった。僕は断乎として、今までのそんな怪談に心をみだされまいと決心しながら、船長とこの問題について、なおいろいろの議論を闘わした。僕は、どうもあの部屋には何か悪いことがあるらしいと言った。その証拠には、ゆうべは窓があけ放しになっていた。僕の同室の男は乗船して来たときから病人じみてはいたけれども、彼が寝床へはいってからは更に気違いのようになっていた。とは言うものの、あの男は船中のどこかに隠れていて、いまに発見されるかもしれないが、とにかく、あの部屋の空気を入れ替えて、窓を注意してしっかりしめておく必要があるから、もしも私にもう御用がなければ、部屋の通風や窓の締りがちゃんと出来ているかどうかを見とどけて来たいと、僕は船長に言った。

「むろん、あなたがそうしたいとお思いなら、現在の所におとどまりなさるのはあなたの権利ですけれども……。私としては、あなたにあの部屋を出ていただいて、すっかり錠をおろして、保管しておかせてもらいたいのです」と、船長はいくらかむっとしたように言った。

僕はあくまでも素志を曲げなかった。そうして、僕の同室の男の失踪に関しては全然沈黙を守るという約束をして、船長の部屋を辞した。

僕の同室の男の知人はこの船中にいなかったので、彼が行くえ不明になったからといって、歎く者は一人もなかった。夕方になって、僕はふたたび船医に逢った。船医は僕に、決心をひるがえしたかどうかを聞いたので、僕はひるがえさないと答えた。

「では、あなたもやがて……」と言いながら、船医は顔を暗くした。

三

その晩、僕らはトランプをして、遅くなってから寝ようとした。今だから告白するが、実を言うと、自分の部屋へはいった時はなんとなく忌な感動に胸を躍らせたのである。僕はいくら考えまいとしても、今ごろはもう溺死して、二、三マイルもあとの方で長い波のうねりに揺られている、あの背丈の高い男のことが考え出されてならなかった。寝巻に着替えようとすると、眼の前にはっきりと彼の顔が浮きあがってきたので、僕はもう彼が実際にいないということを自分の心に納得させるために、上の寝台のカーテンをあけ放してみようかとさえ思ったくらいであった。

なんとなく気味が悪かったので、僕も入り口の扉の貫木をはずしてしまった。しかも窓が不意に音を立ててあいたので、僕は思わずぎょっとしたが、それはすぐにまたしまった。あれだけ窓をしっかりとしめるように言いつけておいたのにと思うと、僕は腹が立ってきて、急いで部屋着を引っかけて、受け持ちの給仕のロバートを探しに飛び出した。今でも忘れないが、あまりに腹を立てていたので、ロバートを見つけるとあらあらしく百五号室の戸口までひきずって来て、あいている窓の方へ突き飛ばしてやった。

「毎晩のように窓をあけ放しにしておくなんて、なんという間抜けな真似をするのだ、横着野郎め。ここをあけ放しにしておくのは、船中の規定に反するということを、貴様は知らないのか。もし船が傾いて水が流れ込んでみろ。十人かかっても窓をしめることが出来なくなるぐらいのことは知っているだろう。船に危険をあたえたことを船長に報告してやるぞ、悪者め」

僕は極度に興奮してしまった。ロバートは真っ蒼になって顫(ふる)えていたが、やがて重い真鍮の金具(かなぐ)をとって窓の丸いガラス戸をしめかけた。

「なぜ、貴様はおれに返事をしないのだ」と、僕はまた呶鳴(どな)り付けた。

「どうぞご勘弁なすってください、お客さま」と、ロバートは吃(ども)りながら言った。「ですが、この窓をひと晩じゅうしめておくことの出来るものは、この船に一人もいないのです。まあ、あなたが自分でやってごらんなさい。わたくしはもう恐ろしくって、この船に一刻(いっとき)

も乗ってはいられません。お客さま、わたくしがあなたでしたら、早速この部屋を引き払って、船医の部屋へ行って寝るとか、なんとかいたしますがね。さあ、あなたがおっしゃった通りにしめてあるかないか、よくごらんなすった上で、ちょっとでも動くかどうか手で動かしてみてください」

僕は窓の戸を動かしてみたが、なるほど固くしまっていた。

「いかがです」と、ロバートは勝ち誇ったように言葉をつづけた。「手前の一等給仕の折紙に賭けて、きっと半時間経たないうちにこの戸がまたあいて、またしまることを保証しますよ。恐ろしいことには、ひとりでにしまるんですからね」

僕は大きい螺旋や鍵止めを調べてみた。

「よし、ロバート。もしもひと晩じゅうにこの戸があいたら、おれはおまえに一ポンドの金貨をやろう。もう大丈夫だ。あっちへ行ってもいい」

「一ポンドの金貨ですって……。それはどうも……。今からお礼を申し上げておきます。では、お寝みなさい。こころよい休息と楽しい夢をごらんなさるように、お客さま」

ロバートは、いかにもその部屋を去るのが嬉しそうなふうをして、足早に出て行った。むろん、彼は愚にもつかない話をして僕を怖がらせておいて、自分の怠慢をごまかそうとしたのだと、僕は思っていた。ところがその結果は、彼に一ポンドの金貨をせしめられた上に、きわめて不愉快な一夜を送ることになったのである。

僕は寝床へはいって、自分の毛布でからだを包んでから、ものの五分も経たないうちにロバートが来て、入り口のそばの丸い鏡板のうしろに絶え間なく輝いていたランプを消していった。僕は眠りに入ろうとして、闇のなかに静かに横たわっていたが、とても眠られそうもないことに気がついた。しかし彼を呶鳴りつけたので、ある程度まで気が清せいしたせいか、一緒の部屋にいたあの溺死者のことを考えたときに感じたような不愉快な気分はすっかり忘れてしまった。それにもかかわらず、僕はもう眠気が去ったので、しばらくは床のなかで眼をあけながら、時どきに窓の方をながめていた。その窓は僕の寝ている所から見あげると、あたかも闇のなかに吊るしてある弱いひかりのスープ皿のように見えた。

それから一時間ばかりは、そこに横たわっていたように思うが、折角うとうとと眠りかけたところへ、冷たい風がさっと吹き込むと同時に、僕の顔の上に海水の飛沫がかかったので、はっと眼をさまして飛び起きると、船の動揺のために足をすくわれて、ちょうど窓の下にある長椅子の上に激しくたたきつけられた。しかし僕はすぐに気を取り直して膝で起った。その時、窓の戸がまたいっぱいにあいて、またしまったではないか。

これらの事実はもう疑う余地がない。僕が起きあがった時にはたしかに眼をあけていたのである。また、たとい僕が夢うつつであったとしても、こんなに忌というほどたたきつけられて眼を醒まさないという法はない。そのうえ僕は肘と膝とによほどの怪我をしているのであるから、僕自身がその事実を疑うと仮定しても、これらの傷が明くる朝になってじゅうぶんに事実を証明すべきであった。あんなにちゃんとしめておいたはずの窓が自然に開閉する――それはあまりにも不可解であるので、初めてそれに気づいた時には、恐ろしいというよりもむしろ唯びっくりしてしまったのを、僕は今でもありありと記憶している。そこで、僕はすぐにそのガラス戸をしめて、あらん限りの力を絞ってその鍵をかけた。

部屋は真っ暗であった。僕はロバートが僕の見ている前でその戸をしめた時に、また半時間のうちに必ずあくと言った言葉を想い起こしたので、その窓がどうしてあいたのかを調べてみようと決心した。真鍮の金具類は非常に頑丈に出来ているものであるから、ちっとのことでは動くはずがないので、螺旋が動揺したぐらいのことで締め金がはずれたとは、僕にはどうも信じられなかった。僕は窓の厚いガラス戸から、窓の下で泡立っている白と灰色の海のうねりをじっと覗いていた。なんでも十五分間ぐらいもそこにそうして立っていたであろう。

突然うしろの寝台の一つで、はっきりと何物か動いている音がしたので、僕ははっとしてうしろを振り返った。むろんに暗やみのことで何ひとつ見えなかったのである。僕は非常にかすかな唸り声を聞き付けたので、飛びかかって上の寝台のカーテンをあけるが早いか、そこに誰かいるかどうかと手を突っ込んでみた。すると、確かに手応(てごた)えがあった。

今でも僕は、あの両手を突っ込んだときの感じは、まるで湿(しめ)った穴蔵へ手を突っ込んだように冷やりとしたのを覚えている。カーテンのうしろから、恐ろしくよどんだ海水の臭いのする風がまたさっと吹いてきた。そのとたんに、僕は何か男の腕のような、すべすべとした、濡れて氷のように冷たい物をつかんだかと思うと、その怪物は僕の方へ猛烈な勢いで飛びかかってきた。ねばねばした、重い、濡れた泥のかたまりのような怪物は、超人のごとき力を有していたので、僕は部屋を横切ってたじたじとなると、突然に入り口の扉がさっとあいて、その怪物は廊下へ飛び出した。

僕は恐怖心などを起こす余裕もなく、すぐに気を取り直して同じく部屋を飛び出して、無我夢中に彼を追撃したが、とても追いつくことは出来なかった。十ヤードもさきに、たしかに薄黒い影がぼんやりと火のともっている廊下に動いているのを目撃したが、その速さは、あたかも闇夜に馬車のランプの光りを受けた駿馬(しゅんめ)の影のようであった。その影は消えて、僕のからだは廊下の明かり窓の手欄(てすり)に支えられているのに気がついた時、初めて僕はぞっとして髪が逆立つと同時に、冷や汗が顔に流れるのを感じた。といって、僕は少しもそれを恥辱とは思わない。だれでも極度の恐怖に打たれれば、冷や汗や髪の逆立つぐらいは当然ではないか。

それでもなお、僕は自分の感覚を疑ったので、つとめて心を落ち着かせて、これは下らないことだとも思った。薬味付きのパンを食ったのが腹に溜っていたので、悪い夢を見たのだろうと思いながら、自分の部屋へ引っ返したが、からだが痛むので、歩くのが容易でなかった。部屋じゅうはゆうべ僕が目をさました時と同じように、よどんだ海水の臭いで息が詰まりそうであった。僕は勇気を鼓して内へはいると、手探りで旅行鞄のなかから蠟燭の箱を取り出した。そうして、消燈されたあとに読書したいと思うときの用意に持っている、汽車用の手燭に火をつけると、窓がまたあいているので、僕はかつて経験したこともない、また二度と経験したくもない、うずくような、なんともいえない恐怖に襲われた。僕は手燭を持って、たぶん海水でびしょ濡れになっているだろうと思いながら、上の寝台を調べた。

しかし僕は失望した。実のところ、何もかも忌な夢であった昨夜の事件以来、ロバートは寝床を整える勇気はあるまいと想像していたのであったが、案に相違して寝床はきちんと整頓してあるばかりか、非常に潮くさくはあったが、夜具はまるで骨のように乾いていた。僕は出来るだけいっぱいカーテンを引いて、細心の注意を払って隈なくその中をあらためると、寝床はまったく乾いていた。しかも窓はまたあいているではないか。僕はなんということなしに恐怖の観念に駆られながら窓をしめて、鍵をかけて、その上に僕の頑丈なステッキを真鍮の環の中へ通して、丈夫な金物が曲がるほどにうんと捻じた。それからその手燭の鉤を、自分の寝台の頭のところに垂れている赤い天鵞絨へ引っかけておいて、気を鎮めるために寝床の上に坐った。僕はひと晩じゅうこうして坐っていたが、気を落ち着けるどころの騒ぎではなかった。しかし、窓はさすがにもうあかなかった。僕もまた神わざでない限りは、もう二度とあく気づかいはないと信じていた。

ようように夜があけたので、僕はゆうべ起こった出来事を考えながら、ゆっくりと着物を着かえた。非常によい天気であったので、僕は甲板へ出て、いい心持ちで清らかな朝の日光にひたりながら、僕の部屋の腐ったような臭いとはまるで違った、薫りの高い青海原のそよ風を胸いっぱいに吸った。僕は知らず識らずのうちに船尾の船医の部屋の方へむかってゆくと、船医はすでに船尾の甲板に立って、パイプをくわえながら前の日とまったく同じように朝の空気を吸っていた。

「お早う」と、彼はいち早くこう言うと、明らかに好奇心をもって僕の顔を見守っていた。

「先生、まったくあなたのおっしゃった通り、たしかにあの部屋には何かが憑いていますよ」と、僕は言った。

「どうです、決心をお変えになったでしょう」と、船医はむしろ勝ち誇ったような顔をして僕に答えた。「ゆうべはひどい目にお逢いでしたろう。ひとつ興奮飲料をさし上げましょうか、素敵なやつを持っていますから」

「いや、結構です。しかし、まずあなたに、ゆうべ起こったことをお話し申したいと思うのですが……」と、僕は大きい声で言った。

それから僕は出来るだけ詳しくゆうべの出来事の報告をはじめた。むろん、僕はこの年になるまで、あんな恐ろしい思いをした経験はなかったということをも、つけ加えるのを忘れなかった。特に僕は窓に起こった現象を詳細に話した。実際、かりに他のことは一つの幻影であったとしても、この窓に起こった現象だけは誰がなんといっても、僕は明らかに証拠立てることの出来る奇怪の事実であった。現に僕は二度までも窓の戸をしめ、しかも二度目には自分のステッキで螺旋鍵（ねじかぎ）を固くねじて、真鍮の金具を曲げてしまったという点だけでも、僕は大いにこの不可思議を主張し得るつもりであった。

「あなたは、私が好んであなたのお話を疑うとお思いのようですね」と、船医は僕があまりに窓のことを詳しく話すので微笑（ほほえ）みながら言った。「私はちっとも疑いませんよ。あなたの携帯品を持っていらっしゃい。二人で私の部屋を半分ずつ使いましょう」

「それよりもどうです。わたしの船室においでなすって、二人でひと晩を過ごしてみませんか。そうして、この事件を根底まで探るのに、お力添えが願えませんでしょうか」

「そんな根底まで探ろうなどとこころみると、あべこべに根底へ沈んでしまいますよ」と、船医は答えた。

「というと……」

「海の底です。わたしはこの船をおりようかと思っているのです。実際、あんまり愉快ではありませんからな」

「では、あなたはこの根底を探ろうとする私に、ご援助くださらないのですか」

「どうも私はごめんですな」と、船医は口早に言った。「わたしは自分を冷静にしていなければならない立場にあるもので、化け物や怪物をなぶり廻してはいられませんよ」

「あなたは化け物の仕業だと本当に信じていられるのですか」と、僕はやや軽蔑的な口ぶりで聞きただした。

こうは言ったものの、ゆうべ自分の心に起こったあの超自然的な恐怖観念を僕はふと思い出したのである。船医は急に僕の方へ向き直った。

「あなたはこれらの出来事を化け物の仕業でないという、たしかな説明がお出来になりますか」と、彼は反駁してきた。「むろん、お出来にはなりますまい。よろしい。それだからあなたはたしかな説明を得ようというのだとおっしゃるのでしょう。しかし、あなたには得られますまい。その理由は簡単です。化け物の仕業という以外には説明の仕様がないからです」

「あなたは科学者ではありませんか。そのあなたが私にこの出来事の解釈がお出来にならんと言うのですか」と、今度は僕が一矢をむくいた。

「いや、出来ます」と、船医は言葉に力を入れて言った。「しかし他の解釈が出来るくらいならば、私だって何も化け物の仕業だなどとは言いません」

僕はもうひと晩でもあの百五号の船室にたった一人でいるのは嫌であったが、それでも、どうかしてこの心にかかる事件の解決をつけようと決心した。おそらく世界じゅうのどこを捜して（さが）も、あんな心持ちの悪いふた晩を過ごしたのち、なおたった一人であの部屋に寝ようという人がたくさんあるはずはない。しかも僕は自分と一緒に寝ずの番をしようという相棒を得られずとも、ひとりでそれを断行しようと意を決したのである。

船医は明らかに、こういう実験には興味がなさそうであった。彼は自分は医者であるから、船中で起こったいかなる事件にでも、常に冷静でなければならないと言っていた。彼は何事によらず、判断に迷うということが出来ないのである。おそらくこの事件についても、彼の判断は正しいかもしれないが、彼が何事にも冷静でなければならないという職務上の警戒は、その性癖から生じたのではないかと、僕には思われた。それから、僕が誰か他に力を藉（か）してくれる人はあるまいかとたずねると、船医は、この船のなかに僕の探究に参加しようという人間は一人もないと答えたので、ふた言三言話した後（のち）に彼と別れた。

それから少し後に、僕は船長に逢った。話をした上で、もし自分と一緒にあの部屋で寝ずの番をする勇者がなかったらば、自分ひとりで決行するつもりであるから、一夜じゅうそこに灯をつけておくことを許可してもらいたいと申し込むと、「まあ、お待ちなさい」と、船長は言った。

「私の考えを、あなたにお話し申しましょう。実は私もあなたと一緒に寝ずの番をして、どういうことが起こるかを調べてみようと思うのです。私はきっとわれわれのあいだに何事をか発見するだろうと確信しています。ひょっとすると、この船中にこっそりと潜んでいて、船客を嚇かしておいて何かの物品を盗もうとする奴がいないとも限りません。したがって、あの寝台の構造のうちに、怪しい機関が仕掛けてあるかもしれませんからね」

船長が僕と一緒に寝ずの番をするという申しいでがなかったらば、彼のいう盗人一件などはむろん一笑に付してしまったのであるが、なにしろ船長の申しいでが非常に嬉しかったので、それでは船の大工を連れて行って、部屋を調べさせましょうと、僕は自分から言い出した。そこで、船長はすぐに大工を呼び寄せ、僕の部屋を隈なく調べるように命じて、僕らも共に百五号の船室へ行った。

僕らは上の寝台の夜具をみんな引っ張り出して、どこかに取り外しの出来るようになっている板か、あるいはあけたての出来るような鏡板でもありはしまいかと、寝台はもちろん、家具類や床板をたたいてみたり、下の寝台の金具をはずしたりして、もう部屋のなかに調べない所はないというまでに調査したが、結局なんの異状もないので、またもとの通りに直しておいた。僕らがその跡始末をしてしまったところへ、ロバートが戸口へ来て窺った。

「いかがです、何か見つかりましたか」と、彼はしいてにやにやと笑いながら言った。

「ロバート、窓の一件ではおまえのほうが勝ったよ」と、僕は彼に約束の金貨をあたえた。

大工は黙って、手ぎわよく僕の指図通りに働いていたが、仕事が終わるとこう言った。

「わっしはただのつまらねえ人間でござんすが、悪いことは申しませんから、あなたの荷物をすっかり外へお出しになって、この船室の戸へ四インチ釘を五、六本たたっ込んで、釘付けにしておしまいなさるほうがよろしゅうござんすぜ。そうすれば、もうこの船室から悪い噂も立たなくなってしまいます。わっしの知っているだけでも、四度の航海のうちに、この部屋から四人も行くえ知れずになっていますからね。この部屋はおやめになったほうがようござんすよ」

「いや、おれはもうひと晩ここにいるよ」と、僕は答えた。

「悪いことは言いませんから、およしなさい。おやめなすったほうがようござんすよ。碌（ろく）なことはありませんぜ」と、大工は何度もくりかえして言いながら、道具を袋にしまって、船室を出て行った。

しかし僕は船長の助力を得たことを思うと、大いに元気が出てきたので、もちろん、この奇怪なる仕事を中止するなどとは、思いもよらないことであった。僕はゆうべのように薬味付きの焼パンや火負(グロッグ)を飲むのをやめ、定連のトランプの勝負にも加わらずに、ひたすらに精神を鎮めることにつとめた。それは船長の眼に自分というものを立派に見せようという自負心があったからである。

僕たちの船長は、艱難辛苦(かんなんしんく)のうちにたたき上げて得た勇気と、胆力と、沈着とによって、人びとの信用の的(まと)となっている、粘り強い、磊落(らいらく)な船員の標本の一人であった。彼は愚にもつかない話に乗るような男ではなかった。したがって、彼がみずから進んで僕の探究に参加したというだけの事実でも、船長が僕の船室には普通の理論では解釈のできない、といって単にありきたりの迷信と一笑に付してしまうことのできない、容易ならぬ変化(へんげ)が憑(つ)いているに違いないと思っている証拠になった。そうして彼は、ある程度までは自分の名声とともに致命傷を負わされなければならないのを恐れる利己心と、船客が海へ落ち込むのを放任しておくわけにはゆかないという義務的観念とから、僕の探究に参加したのであった。

その晩の十時ごろに、僕が最後のシガーをくゆらしているところへ船長が来て、甲板の暑い暗闇のなかで他の船客がぶらついている場所から僕を引っ張り出した。

「ブリスバーンさん。これは容易ならぬ問題だけに、われわれは失望しても、苦しい思いをしてもいいだけの覚悟をしておかなければなりませんぞ。あなたもご承知の通り、私はこの事件を笑殺(しょうさつ)してしまうことは出来ないのです。そこで万一の場合のための書類に、あなたの署名(サイン)を願いたいのです。それから、もし今晩何事も起こらなかったらば明晩、明晩も駄目であったらば明後日の晩というふうに、毎晩つづけて実行してみましょう。あなたは支度はいいのですか」と、船長は言った。

僕らは下に降りて、部屋へはいった。僕らが降りてゆく途中、ロバートは廊下に立って、例の歯をむきだしてにやにや笑いながら、きっと何か恐ろしいことが起こるのに馬鹿な人たちだなといったような顔をして、僕らの方をながめていた。船長は入り口の扉(ドア)をしめて、貫木をかけた。

「あなたの手提鞄だけを扉のところに置こうではありませんか」と、彼は言い出した。「そうして、あなたか私かがその上に腰をかけて頑張っていれば、どんなものだってはいることは出来ますまい。窓の鍵はお掛けになりましたね」

窓の戸は僕がけさしめたままになっていた。実際、僕がステッキでしたように梃子(てこ)でも使わなければ、誰でも窓の戸をあけることは出来ないのであった。僕は寝台の中がよく見えるように上のカーテンを絞っておいた。それから船長の注意にしたがって、読書に使う手燭を上の寝台のなかに置いたので、白い敷布ははっきりと照らし出されていた。船長は自分が扉の前に坐ったからにはもう大丈夫ですと言いながら、鞄の上に陣取った。船長はさらに部屋のなかを綿密に調べてくれと言った。綿密にといったところで、もう調べ尽くしたあとであるので、ただ僕の寝台の下や、窓ぎわの長椅子の下を覗いてみるぐらいの仕事はすぐに済んでしまった。

「これでは妖怪変化ならば知らず、とても人間わざでは忍び込むことも、窓をあけることも出来るものではありませんよ」と、僕は言った。

「そうでしょう」と、船長はおちつき払ってうなずいた。「これでもしも変わったことがあったらば、それこそ幻影か、さもなければ何か超自然的な怪物の仕業（しわざ）ですよ」

僕は下の寝台のはしに腰をかけた。

「最初事件が起こったのは……」と、船長は扉に倚（よ）りながら、脚を組んで話し出した。「さよう、五月でした。この上床（アッパーバース）に寝ていた船客は精神病者でした。……いや、それほどでないにしても、とにかく少し変だったという折紙（おりかみ）つきの人間で、友人間には知らせずに、こっそりと乗船したのでした。その男は夜なかにこの部屋を飛び出すと、見張りの船員がおさえようと思う間に海へ落ち込んでしまったのです。われわれは船を停めて救助艇（ボート）

をおろしましたが、その晩はまるで風雨（あらし）の起こる前のように静かな晩でしたのに、どうしてもその男の姿は見つかりませんでした。むろん、その男の投身は発狂の結果だということは後（のち）に分かったのでした」

「そういうことはよくありますね」と、僕はなんの気なしに言った。

「いや、そんなことはありません」と、船長はきっぱりと言った。「私はほかの船にそういうことがあったのを聞いたことはありますが、まだ私の船では一遍もありませんでした。さよう、私は五月だったと申しましたね。その帰りの航海で、どんなことが起こったか、あなたには想像がつきますか」

こう僕に問いかけたが、船長は急に話を中止した。

僕はたぶん返事をしなかったと思う。というのが、窓の鍵の金具がだんだんに動いてきたような気がしたので、じっとその方へ眼をそそいでいたからであった。僕は自分の頭にその金具の位置の標準を定めておいて、眼をはなさずに見つめていると、船長もわたしの眼の方向を見た。

「動いている」と、彼はそれを信じるように叫んだが、すぐにまた、「いや、動いてはいない」と、打ち消した。

「もし螺旋（ねじ）がゆるんでいくのならば、あしたの昼じゅうにあいてしまうでしょうが……。

私はけさ力いっぱいに捻じ込んでおいたのが、今夜もそのままになっているのを見ておいたのです」と、僕は言った。

船長はまた言った。

「ところが、不思議なことには二度目に行くえ不明になった船客は、この窓から投身したという臆説がわれわれの間に立っているのです。恐ろしい晩でしたよ。しかも真夜中ごろだというのに、風雨（あらし）は起こっていました。すると、窓の一つがあいて、海水が突入しているという急報に接して、わたしは下腹部へ飛んで降りて見ると、もう何もかも浸水している上に、船の動揺のたびごとに海水は滝のように流れ込んでくるので、窓全体の締め釘がゆらぎ出して、とうとうぐらぐらになってしまいました。われわれは窓の戸をしめようとしましたが、なにしろ水の勢いが猛烈なのでどうすることも出来ませんでした。そのとき以来、この部屋は時どきに潮くさい臭いがしますがね。そこで、どうも二度目の船客はこの窓から投身したのではないかと、われわれは想像しているのですが、さてどういうふうにしてこの小さい窓から投身したかは、神様よりほかには知っている者はないのです。あのロバートがよく私に言っていることですが、それからというものは、いくら彼がこの窓を厳重にしめても、やはり自然にあくそうです。おや、たしかに今……。私にはあの潮くさい臭いがします。あなたには感じませんか」

船長は自分の鼻を疑うように、しきりに空気を嗅ぎながら、僕にきいた。

「たしかに私にも感じます」

僕はこう答えながら、船室いっぱいに昨夜と同じく、かの腐ったような海水の臭いがだんだんに強くただよって来るのにぞっとした。

「さあ、こんな臭いがして来たからは、たしかにこの部屋が湿気ているに違いありません」と、僕は言葉をつづけた。「けさ私が大工と一緒に部屋を調べたときには、何もかもみな乾燥していましたが……。どうも尋常事ではありませんね。おや！」

突然に上の寝台のなかに置いてあった手燭が消えた。それでも幸いに入り口の扉のそばにあった丸い鏡板つきのランプはまだ十分に輝いていた。船は大きく揺れて、上の寝台のカーテンがぱっとひるがえったかと思うと、また元のようになった。素早く僕は起きあがった。船長はあっとひと声叫びながら飛びあがった。ちょうどその時、僕は手燭をおろして調べようと思って、上の寝台の方へ向いたところであったが、本能的に船長の叫び声のする方を振り返って、あわててそこへ飛んでゆくと、船長は全身の力をこめて、窓の戸を両手でおさえていたが、ともすると押し返されそうであったので、僕は愛用の例の樫のステッキを取って鍵のなかへ突き通し、あらん限りの力をそそいで窓の戸のあくのを防いだ。しかもこの頑丈なステッキは折れて、僕は長椅子の上に倒れた。そうして、再び起きあがった時には、もう窓の戸はあいて、跳ね飛ばされた船長は入り口の扉を背にしながら、真っ蒼な顔をして突っ立っていた。

「あの寝台に何かいる」と、船長は異様な声で叫びながら、眼を皿のように見開いた。「わたしが何者だか見る間、この戸口を守っていてください。奴を逃がしてはならない」

僕は船長の命令をきかずに、下の寝台に飛び乗って、上の寝台に横たわっている得体の知れない怪物をつかんだ。

それは何とも言いようのないほどに恐ろしい化け物のようなもので、僕につかまれながら動いているところは、引き延ばされた人間の肉体のようでもあった。しかもその動く力は人間の十倍もあるので、僕は全力をそそいでつかんでいると、その粘ねばした、泥のような、異様な怪物は、その死人のような白い眼でじっと僕を睨んでいるらしく、そのからだからは腐った海水のような悪臭を発し、濡れて垢びかりのした髪は渦を巻いて、死人のようなその顔の上にもつれかかっていた。僕はこの死人のような怪物と格闘したが、怪物は自分のからだを打ちつけて僕をぐいぐいと押してゆくので、僕は腕がもう折れそうになったところへ、生ける屍の如きその怪物は死人のような腕を僕の頭に巻きつけて伸しかかってきたので、とうとう僕は叫び声を立ててどっと倒れるとともに、怪物をつかんでいる手を放してしまった。

僕が倒れると、その怪物は僕を跳り越えて、船長へぶつかっていったらしかった。僕がさっき扉の前に突っ立っていた船長を見たときには、彼の顔は真っ蒼で一文字に口を結んでいた。それから彼はこの生ける屍の頭に手ひどい打撃を与えたらしかったが、結局彼もまた恐ろしさのあまりに口もきけなくなったような唸り声を立てて、同じく前へのめって倒れた。

一瞬間、怪物はそこに突っ立っていたが、やがて船長の疲労し切ったからだを飛び越えて、再びこちらへ向かってきそうであったので、僕は驚駭のあまりに声を立てようとしたが、どうしても声が出なかった。すると、突然に怪物の姿は消え失せた。僕はほとんど失神したようになっていたので、たしかなことは言われないし、また、諸君の想像以上に小さいあの窓口のことを考えると、どうしてそんなことが出来たのか今もなお疑問ではあるが、どうもかの怪物はあの窓から飛び出したように思われた。それから僕は長いあいだ床の上に倒れていた。船長も同じように僕のそばに倒れていた。そのうちに僕はいくぶんか意識を回復してくると、すぐに左の手首の骨が折れているのを知った。

僕はどうにかこうにか起きあがって、右の手で船長を揺り起こすと、船長は唸りながらからだを動かしていたが、ようようにわれにかえった。彼は怪我をしていなかったが、まったくぼうとしてしまったようであった。

さて、諸君はもっとこのさきを聞きたいかね。おあいにくと、これで僕の話はおしまいだ。大工は彼の意見通りに百五号の扉へ四インチ釘を五、六本打ち込んでしまったが、もし諸君がカムチャツカ号で航海するようなことがあったらば、あの部屋の寝台を申し込んでみたまえ。きっと諸君はあの寝台はすでに約束済ですと断わられるだろう。そうだ、あの寝台は生ける屍の約束済になっているのだ。

僕はその航海中、船医の船室に居候をすることになった。彼は僕の折れた腕を治療してくれながら、以後は化け物や怪物を弄(なぶ)り廻さないように忠告してくれた。船長はすっかり黙ってしまった。

カムチャツカ号は依然として大西洋の航行をつづけているが、かの船長は再びその船に乗り込まなかった。むろん僕においてをやだ。実際、あんなに心持ちの悪い、恐ろしかった経験などは、もうまっぴらごめんだ。僕がどうして化け物を見たかという話も――あれが化け物だとすれば――これでおしまいだ。なにしろ恐ろしかったよ。

ラザルス

アンドレーフ

アンドレーフ　Leonid Nicolaievitch Andreyev

一八七一年露国オーレルに生まる。少年時代より憂鬱症に罹(かか)り三回も自殺を企てたることありという。近代ロシアにおける著名の戯曲家、小説家。一九一九年逝く。

一

三日三晩のあいだ、謎のような死の手に身をゆだねていたラザルスが、墓から這いだして自分の家へ帰って来た時には、みんなも暫くは彼を幽霊だと思った。この死からよみがえったということが、やがてラザルスという名前を恐ろしいものにしてしまったのである。

この男が本当に再生したことがわかった時、非常に喜んで彼を取り巻いた連中は、引っ切りなしに接吻してもまだ足りないので、それ食事だ飲み物だ、それ着物だと、何から何までの世話をやいて、自分たちの燃えるような喜びを満足させた。そのお祭り騒ぎのうちに彼は花聟さまのように立派に着飾らせられ、みんなの間に祭り上げられて食事を始めると、一同は感きわまって泣き出した。それから主人公たちは近所の人びとを呼び集めて、この奇蹟的な死からよみがえった彼を見せて、もう一度それらの人びとその喜びを倶にした。近所の町や近在からも見識らぬ人たちがたずねてきて、この奇蹟を礼讃していった。ラザルスの姉妹のマリーとマルタの家は、蜜蜂の巣箱のように賑やかになった。

　そういう人たちにとっては、ラザルスの顔や態度に新らしくあらわれた変化は、みな重病と最近に体験したいろいろの感動の跡だと思われていた。ところが、死によるところの肉体の破壊作用が単に奇蹟的に停止されたというだけのことで、その作用の跡は今も明白に残っていて、その顔やからだはまるで薄いガラス越しに見た未完成のスケッチのように醜くなっていた。その顳顬の上や、両眼の下や、両頰の窪みには、濃い紫の死びと色があらわれていた。また、その色は彼の長い指にも爪ぎわにもあった。その紫色の斑点は、墓の中でだんだんに濃い紅色になり、やがて黒くなって崩れ出すはずのものであった。墓のなかで脹れあがった口唇の皮はところどころに薄い赤い亀裂が出来て、透明な雲母のようにぎらぎらしていた。おまけに、生まれつき頑丈なからだは墓の中から出てきても依然として怪物のような格好をしていた上に、忌にぶくぶくと水ぶくれがして、そのからだのうちには腐った水がいっぱいに詰まっているように感じられた。墓衣ばかりでなく、彼の体にまでも滲み込んでいた死びとのような強い臭いはすぐに消えてしまい、とても一生涯癒りそうもなかった口唇のひびも幸いにふさがったが、例の顔や手のむらさきの斑点はますますひどくなってきた。しかも、埋葬前に彼を棺桶のなかで見たことのある人たちには、それも別に気にならなかった。

こういうような肉体の変化とともに、ラザルスの性格にも変化が起こってきたのであるが、そこまではまだ誰も気がつかなかった。墓に埋められる前までのラザルスは快活で、磊落（らいらく）で、いつも大きい声を出して笑ったり、洒落（しゃれ）を言ったりするのが好きであった。したがって彼は、神様からもその悪意や暗いところの微塵もないからりとした性質を愛（め）でられていた。ところが、墓から出てきた彼は、生まれ変わったように陰気で無口な人になってしまって、けっして自分から冗談などを言わなくなったばかりではなく、相手が軽口を叩いてもにこりともせず、自分がたまに口をきいても、その言葉はきわめて平凡普通であった。よんどころない必要に迫られて、心の奥底から無理に引き出すような言葉は、喜怒哀楽とか飢渇とかの本能だけしか現わすことの出来ない動物の声のようであった。むろん、こうした言葉は誰でも一生のうちに口にすることもあろうが、人間がそれを口にしたところで、何が心を喜ばせるのか、苦しませるのか、相手に理解させることは出来ないものである。

顔や性格の変化に人びとが注目し始めたのは後のことで、かれが燦爛（さんらん）たる黄金や貝類が光っている花聟の盛装を身につけて、友達や親戚の人たちに取り囲まれながら饗宴の席に着いていた時には、まだ誰もそんなことに気がつかなかった。歓喜の声の波は、あるいはさざなみのごとくに、あるいは怒濤のごとくに彼を取り巻き、墓の冷気で冷やかになっている彼の顔の上には温かい愛の眼がそそがれ、一人の友達はその熱情をこめた手のひらで彼のむらさき色の大きな手を撫でていた。

やがて鼓や笛や、七絃琴や、竪琴で音楽が始まると、マリーとマルタの家はまるで蜂や、蟋蟀や、小鳥の鳴き声でおおわれてしまったように賑やかになった。

二

客の一人がふとした粗相でラザルスの顔のベールをはずしたとたんに、あっと声をたてて、今まで彼に感じていた敬虔な魅力からさめると、事実がすべての赤裸裸な醜さのうちに暴露された。その客はまだ本当にわれにかえらないうちに、もうその口唇には微笑が浮かんできた。

「むこうで起こったことを、なぜあなたは私たちにお話しなさらないのです」

この質問に一座の人びとはびっくりして、にわかに森となった。かれらはラザルスが三日のあいだ墓のなかで死んでいたということ以外に、別に彼の心身に変わったことなぞはないと思っていたので、ラザルスの顔を見つめたまま、どうなることかと心配しながらも彼の返事を待っていた。ラザルスはじっと黙っていた。

「あなたは私たちには話したくないのですね。あの世という処は恐ろしいでしょうね」

こう言ってしまってから、その客は初めて自分にかえった。もしそうでなく、こういう前にわれにかえっていたら、その客はこらえきれない恐怖に息が止まりそうになった瞬間に、こんな質問を発するはずはなかったであろう。

不安の念と待ち遠しさを感じながら、一同はラザルスの言葉を待っていたが、彼は依然として俯向いたままで、深い冷たい沈黙をつづけていた。そうして、一同は今さらながらラザルスの顔の不気味な紫色の斑点や、見苦しい水ぶくれに注目した。ラザルスは食卓ということを忘れてしまったように、その上に彼の紫の瑠璃色の拳を乗せていた。

一同は、待ち構えている彼の返事がそこからでも出てくるように、じいっとラザルスの拳に見入っていた。音楽師たちはそのまま音楽をつづけてはいたが、一座の静寂はかれらの心にまでも喰い入ってきて、掻き散らされた焼木杭に水をかけたように、いつとはなしに愉快な音色はその静寂のうちに消えてしまった。笛や羯鼓や竪琴の音も絶えて、七絃琴は糸が切れたように顫えてきこえた。一座ただ沈黙あるのみであった。

「あなたは言いたくないのですか」

その客は自分のおしゃべりをおさえ切れずに、また同じ言葉を繰り返して言ったが、ラザルスの沈黙は依然として続いていた。不気味な紫の瑠璃色の拳も依然として動かなかった。やがて彼は微かに動き出したので、一同は救われたようにほっとした。彼は眼をあげて、疲労と恐怖とに満ちたどんよりとした眼でじっと部屋じゅうを見廻しながら、一同を見た。――死からよみがえったラザルスが――

以上は、彼が墓から出てきてから三日目のことであった。もっともそれまでにも、絶えず人を害するような彼の眼の力を感じた人たちもたくさんあったが、しかもまだ彼の眼の力によって永遠に打ち砕かれた人や、あるいはその眼のうちに「死」と同じように「生」に対する神秘的の反抗力を見いだした者はなく、彼の黒いひとみの奥底にじいっと動かずに横たわっている恐怖の原因を説明することも出来なかった。そうして、この三日の間、ラザルスはいかにも穏かな、質朴な顔をして、何事も隠そうなどという考えは毛頭なかったようであったが、その代りにまた、何ひとつ言おうというような意思もなかった。彼はまるで人間界とは没交渉な、ほかの生き物かと思われるほどに冷やかな顔をしていた。

多くの迂闊な人たちは往来で彼に近づいても気がつかなかった。そうして、眼も眩むような立派な着物をきて、触れるばかりにのそりのそりと自分のそばを通って行く冷やかな頑丈な男はいったい誰であろうかと、思わずぞっとした。むろん、ラザルスが見ている時でも、太陽はかがやき、噴水は静かな音を立てて湧きいで、頭の上の大空は青あおと晴れ渡っているのであるが、こういう呪われた顔かたちの彼にとっては、噴水のささやきも耳には入らず、頭の上の青空も目には見えなかった。ある時は慟哭し、またある時にはわれとわが髪を引きむしって気違いのように救いを求めたりしていたが、結局は静かに冷然として死のうという考えが、彼の胸に起こってきた。そこで彼はそれから先の幾年を諸人の見る前に鬱うつと暮らして、あたかも樹木が石だらけの乾枯びた土のなかで静かに枯死するように、生色なく、生気なく、しだいに自分のからだを衰弱させていった。彼を注視している者のうちには、今度こそは本当に死ぬのではないかと、気も狂わんばかりに泣くものもあったが、また一方には平気でいる人もあった。

　話はまた前に戻って、かの客はまだ執拗くくりかえした。

「そんなにあなたは、あの世で見てきたことを私に話したくないのですか」

　しかしもうその客の声には熱がなく、ラザルスの眼にあらわれていた恐ろしいほどの灰色の疲れは、彼の顔全体を埃のようにおおっていたので、一同はぼんやりとした驚愕を感じながら、この二人を互い違いに見つめているうちに、かれらはそもそもなんのためにここへ集まってきて、美しい食卓に着いているのかわからなくなってきた。この問答はそのまま沙汰やみになって、お客たちはもう帰宅する時刻だとは思いながら、筋肉にこびりついた懶い疲労にがっかりして、しばらくそこに腰をおろしたままであったが、それでもやがて闇の野に飛ぶ鬼火のように一人一人に散っていった。

音楽師は金をもらったので再び楽器を手に取ると、悲喜こもごも至るというべき音楽が始まった。音楽師らは俗謡を試みたのであるが、耳を傾けていたお客たちは皆なんとなく恐ろしい気がした。しかもかれらはなぜ音楽師に絃の調子を上げさせたり、頰をはち切れそうにして笛を吹かせたりして、むやみに賑やかな音楽を奏させなければならないのか、なぜそうさせたほうがいいのか、自分たちにも分からなかった。

「なんというくだらない音楽だ」と、ある者が口をひらいたので、音楽師たちはむっとして帰ってしまった。それに続いてお客たちも次つぎに帰っていった。そのころはもう夜になっていた。

静かな闇に出て、初めてほっと息をつくと、たちまちかれらの眼の前に盛装した墓衣を着て、死人(しびと)のような紫色の顔をして、かつて見たこともないほどに恐怖の沈滞しているような冷やかな眼をしたラザルスの姿が、物凄(ものすご)い光りのなかに朦朧(もうろう)として浮きあがってきた。かれらは化石したようになって、たがいに遠く離れてたたずんでいると、闇はかれらを押し包んだ。その闇のなかにも、三日のあいだ謎のように死んでいた彼の神秘的な幻影はますます明らかに輝き出した。三日間といえば、その間には太陽が三度出てまた沈み、子供らは遊びたわむれ、小川は礫(こいし)の上をちょろちょろと流れ、旅びとは街道に砂ほこりを立てて往来していたのに、ラザルスは死んでいたのであった。そのラザルスが今や再びかれらのあいだに生きていて、かれらに触れ、かれらを見ているではないか。しかも彼の黒いひとみの奥からは、黒ガラスを通して見るように、未知のあの世が輝いているのであった。

三

今では友達も親戚もみなラザルスから離れてしまったので、誰ひとりとして彼の面倒を見てやる者もなく、彼の家はこの聖都を取り囲んでいる曠原（こうげん）のように荒れ果ててきた。彼の寝床は敷かれたままで、消えた火をつける者とても無くなってしまった。彼の姉妹、マリーもマルタも彼を見捨てて去ったからである。

マルタは自分のいないあかつきには、兄を養い、兄をあわれむ者もないことを思うと、兄を捨てて去るに忍びなかったので、その後も長い間、兄のためにあるいは泣き、あるいは祈っていたのであるが、ある夜、烈（はげ）しい風がこの荒野を吹きまくって、屋根の上におおいかかっているサイプレスの木がひらひらと鳴っている時、彼女は音せぬように着物を着かえて、ひそかにわが家をぬけ出してしまった。ラザルスは突風のために入り口の扉（ドア）が音を立てて開いたのに気がついたが、起（た）ち上がって出て見ようともせず、自分を棄てていった妹を捜（さが）そうともしなかった。サイプレスの木は夜もすがら彼の頭の上でひゅうひゅうと唸（うな）り、扉は冷たい闇のなかで悲しげに煽（あお）っていた。

ラザルスは癩病患者のように人びとから忌み嫌われたばかりではなく、実際、癩病患者が自分たちの歩いていることを人びとに警告するために頸に鈴をつけているように、彼の頸にも鈴を付けさせようと提議されたが、夜などに突然その鈴の音が、自分たちの窓の下にでも聞こえたとしたら、どんなに恐ろしいことであろうと、顔を真っ蒼にして言い出した者があったので、その案はまず中止になった。

自分のからだをなおざりにし始めてから、ラザルスはほとんど餓死せんばかりになっていたが、近所の者は漠然たる一種の恐怖のために彼に食物を運んでやらなかったので、子供たちが代って彼のところへ食物を運んでやっていた。子供らはラザルスを怖がりもしなければ、また往おうにして憐れな人たちに仕向けるような悪いたずらをして揶揄いもしなかった。かれらはまったくラザルスには無関心であり、彼もまたかれらに冷淡であったので、別にかれらの黒い巻髪をなでてやろうともしなければ、無邪気な輝かしいかれらの眼を覗こうともしなかった。

時と荒廃とに任せていた彼の住居は崩れかけてきたので、飢えたる山羊どもは彷徨い出て、近所の牧場へ行ってしまった。そうして、音楽師が来たあの楽しい日以来、彼は新しい物も古い物も見境いなく着つづけていたので、花聟の衣裳はすりきれて艶つやしい色も褪せ、荒野の悪い野良犬や尖った茨にその柔らかな布地は引き裂かれてしまった。

昼のあいだ、太陽が情け容赦もなくすべての生物を焼き殺すので、蠍が石の下にもぐり込んで気違いのようになって物を螫したがっている時にでも、ラザルスは太陽のひかりを浴びたまま坐って動かず、灌木のような異様な髯の生えている紫色の顔を仰向けて、熱湯のような日光の流れに身をひたしていた。

世間の人がまだ彼に言葉をかけていた頃、彼は一度こんな風に訊ねられたことがあった。

「ラザルス君、気の毒だな。そんなことをしてお天道さまと睨みっくらをしていると、心持ちがいいかね」

彼は答えた。

「むむ、そうだ」

ラザルスに言葉をかけた人たちの心では、あの三日間の死の常闇があまりにも深刻であったので、この地上の熱や光りではとても温めることも出来ず、また彼の眼に沁み込んだ、その常闇を払いのけることが出来ないのだと思って、やれやれと溜め息をつきながら行ってしまうのであった。

爛らんたる太陽が沈みかけると、ラザルスは荒野の方へ出かけて、まるで一生懸命になって太陽に達しようとでもしているように、夕日にむかって一直線に歩いていった。彼は常に太陽にむかってまっすぐに歩いてゆくのである。そこで、夜になって荒野で何をするのであろうと、そのあとからそっとついて来た人たちの心には、大きな落陽の真っ赤な夕映えを背景にした、大男の黒い影法師がこびりついてくる上に、暗い夜がだんだんに恐怖と共に迫ってくるので、恐ろしさのあまりに初めの意気組みなどはどこへやらで、這うほうのていで逃げ帰ってしまった。したがって、彼が荒野で何をしていたか分からなかったが、かれらはその黒や赤の幻影を死ぬまで頭のなかに焼き付けられて、あたかも眼に刺をさされた獣が足の先で夢中に鼻づらをこするように、ばかばかしいほど夢中になって眼をこすってみても、ラザルスの怖ろしい幻影はどうしてもぬぐい去ることが出来なかった。

しかし遙かに遠いところに住んでいて、噂を聞くだけで本人を見たことのない人たちは、怖い物見たさの向う見ずの好奇心に駆られて、日光を浴びて坐っているラザルスの所へわざわざ尋ねて来て話しかけるのもあった。そういう時には、ラザルスの顔はいくらか柔和になって、割合いに物凄くなくなってくるのである。こうした第一印象を受けた人には、この聖都の人びとはなんという馬鹿ばかり揃っているのであろうと軽蔑するが、さて少しばかり話をして家路につくと、すぐに聖都の人たちはかれらを見つけてこう言うのである。

「見ろよ。あすこへゆく連中は、ラザルスにお眼をとめられたくらいだから、おれたちよりも上手の馬鹿者に違いないぜ」

かれらは気の毒そうに首を振りながら、腕をあげて、帰る人びとに挨拶した。

ラザルスの家へは、大胆不敵の勇士が物凄い武器を持ったり、苦労を知らない青年たちが笑ったり歌を唄ったりして来た。笏杖(しゃくじょう)を持った僧侶や、金をじゃらつかせている忙がしそうな商人たちも来た。しかもみな帰る時にはまるで違った人のようになっていた。それらの人たちの心には、一様に恐ろしい影が飛びかかってきて、見馴れた古い世界に一つの新らしい現象をあたえた。

なお、ラザルスと話してみたいと思っていた人たちは、こう言って自己の感想を説明していた。

「すべて手に触れ、眼に見える物体はしだいに空虚な、軽い、透明なものに化するもので、いわば夜の闇に光る影のようなものである。この全宇宙を支持する偉大なる暗黒は、太陽や、月や、星によって駆逐さるることなく、一つの永遠の墓衣のように地球を包み、一人の母のごとくに地球を抱き締めているのである。

その暗黒がすべての物体、鉄や石の中までも沁み込むと、すべての物体の分子は互いの連絡がゆるんできて、ついには離ればなれになる。そうしてまた、その暗黒が更に分子の奥底へ沁み込むと、今度は原子が分離してゆく。なんとなれば、この宇宙を取り巻いているところの偉大なる空間は、眼に見えるものによって満たされるものでもなく、また太陽や、月や、星によっても満たされるものでもない。それは何物にも束縛されずに、あらゆるところに沁み込んで、物体から分子を、分子から原子を分裂させてゆくのである。

この空間においては、空虚なる樹木は倒れはしまいかという杞憂(きゆう)のために、空虚なる根を張っている。寺院も、宮殿も、馬も実在しているが、みな空虚である。人間もこの空間のうちに絶えず動いているが、かれらもまた軽く、空虚なること影のごとくである。なんとなれば、時は虚無(きょむ)であって、すべての物体には始めと同時に終わりが接しているのである。建設はなお行なわれているけれども、それと同時に建設者はそれを槌(つち)で打ち砕いてゆき、次から次へと廃墟となって、ふたたび元の空虚となる。今なお人間は生まれてくるが、それと同時に絶えず葬式の蠟燭は人間の頭上にかがやき、虚無に還元して、その人間と葬式の蠟燭の代りに空間が存在する。

空間と暗黒によっておおい包まれている人間は、永遠の恐怖に面して、絶望に顫(ふる)えおののいているのである」

しかしラザルスと言葉を交すことを好まない人たちは、更にいろいろのことを言った。そうして、みな無言のうちに死んでいるのであった。

四

この時代に、ローマにアウレリウスという名高い彫刻家がいた。かれは粘土や大理石や青銅に、神や人間の像を彫刻し、人びとはそれらの彫刻を不滅の美として称えていた。しかし彼自身はそれに満足することが出来ず、世には更に美しい何物かが存在しているのであるが、自分はそれを大理石や青銅へ再現することが出来ないのであると主張していた。「わたしはいまだかつて月の薄い光りを捉えることも出来ず、また、日の光りを思うがままに捉え得なかった。私の大理石には、魂がなく、わたしの美しい青銅には生命がなかった」と、彼は口癖のように言っていた。

そうして、月の晩にはサイプレスの黒い影を踏みながら、彼は自分の白い肉体を月光に閃かして見ていたので、道で出逢った彼の親しい人たちは心安だてに笑いながら言った。

「アウレリウスさん。月の光りを集めていなさいますね。なぜ籠を持ってこなかったのです」

彼も笑いながら自分の両眼を指さして答えた。

「それ、ここに籠がありますよ。この中へ月光と日光とを入れておくのです」

実際彼のいう通り、それらの光りは彼の眼のうちで輝いていた。しかし古い貴族出の彼はよい妻や子とともに、物質上にはなに不自由なく暮らしていたが、どうしてもその月光や日光を大理石の上に再現させることが出来ないので、自分の刻んだ作品に絶望を感じながら、怏おうとして楽しまざる日を送っていた。

ラザルスの噂がこの彫刻家の耳にはいった時、彼は妻や友達と相談した上で、死から奇蹟的によみがえった彼に逢うために、ユダヤへの長い旅についた。アウレリウスは近頃どことなく疲れ切っているので、この旅行が自分の鈍りかかった神経を鋭くしてくれればいいがと思ったくらいであったから、ラザルスについてのどんな噂にも、彼は驚かなかった。元来、彼自身も死ということについてはたびたび熟考し、あながちそれを好む者ではなかったが、さりとて生を愛着するのあまりに、人の物笑いになるような死にざまをする人たちを侮蔑していた。

この世において、人生は美し。

あの世において、死は謎なり。

彼はこう思っていたのである。人間にとって、人生を楽しむと、すべての生きとし生けるものの美に法悦するほどいいことはない。そこで、彼は自分の独自の人生観の真理をラザルスに説得して、その魂をもよみがえらせることに自信ある希望を持っていた。この希望はあながち至難のことではなさそうであった。すなわちこの解釈しがたい異様な噂は、ラザルスについて本当のことを物語っているのではなく、ただ漠然と、ある恐怖に対する警告をなしているに過ぎなかったからであった。

ラザルスはあたかも荒野に沈みかかっている太陽を追おうとして、石の上から起ち上がった時、一人の立派なローマ人がひとりの武装した奴隷に護られながら彼に近づいて来て、ほがらかな声で呼びかけた。

「ラザルスよ」

美しい着物や宝石を身につけたラザルスは、その荘厳な夕日を浴びた深刻な顔をあげた。まっかな夕日の光りがローマ人の素顔や頭をも、銅の人像のように照り輝かしているのに、ラザルスも気がついた。すると、彼は素直に再び元の場所にかえって、その弱よわしい両眼を伏せた。

「なるほど、おまえさんは醜い。可哀そうなラザルスさん。そうしてまた、おまえさんは物凄いですね。死というものは、おまえさんがふとしたおりに彼の手に落ちた日だけその手を休めてはいませんでした。しかしおまえさんは実に頑丈ですね。いったいあの偉大なるシーザーが言ったように、肥った人間には悪意などのあるものではありません。それであるから、なぜ人びとがおまえさんをそんなに恐れているのか、私にはわからないのです。どうでしょう、今夜わたしをおまえさんの家へ泊めてくれませんか。もう日が暮れて、私には泊まる処がないのですが……」と、そのローマ人は金色の鎖をいじりながら静かに言った。

今までに誰ひとりとして、ラザルスを宿のあるじと頼もうとした者はなかった。

「わたしには寝床がありません」と、ラザルスは言った。

「私はこれでも武士の端くれであったから、坐っていても眠られます。ただ私たちは火さえあれば結構です」と、ローマ人は答えた。

「わたしの家には火もありません」

「それでは、暗やみのなかで、友達のように語り明かしましょう。酒のひと壜ぐらいはお持ちでしょうから」

「わたしには酒もありません」

ローマ人は笑った。

「なるほど、やっと私にもわかりました。なぜおまえさんがそんなに暗い顔をして自分の再生を厭うかということが……。酒がないからでしょう。では、まあ仕方がないから、酒なしで語り明かそうではありませんか。話というものはファレルニアンの葡萄酒よりも、よほど人を酔わせると言いますから」

合図をして、奴隷を遠ざけて、彼はラザルスと二人ぎりになった。そこで再びこのローマの彫刻家は談話を始めたのであったが、太陽が沈んでゆくにつれて、彼の言葉にも生気を失ってきたらしく、だんだんに力なく、空虚になって、疲労と酒糟に酔ったようにしどろもどろになって、言葉と言葉とのあいだに大空間と大暗黒とを暗示したような黒い割け目を生じた。

「さあ、わたしはおまえさんのお客であるから、おまえさんはお客に親切にしてくれるでしょうね。客を款待するということは、たとい三日間あの世にいっていた人たちでも当然の義務ですよ。噂によると、三日も墓の中で死んでいたそうですね。墓の中は冷たいに相違ない。そこでその以来、火も酒もなしで暮らすなどという悪い習慣がついたのですね、私としては大いに火を愛しますね。……なにしろ急に暗くなってきましたからな。おまえさんの眉毛と額の線はなかなかおもしろい線ですね。まるで地震で埋没した不思議な宮殿の廃墟のようですね。しかしなぜおまえさんはそんな醜い奇妙な着物を着ているのです。そうそう、私はこの国の花聟たちを見たことがあります。その人たちはそんな着物を着ていましたが、別に恐ろしいとも、滑稽とも思いませんでしたが……。おまえさんは花聟さんですか」と、ローマの彫刻家は言った。

太陽はすでに消えて、怪物のような黒い影が東のほうから走ってきた。その影は、あたかも巨人の素足が砂の上を走り出したようでもあった。寒い風の波は背中へまでも吹き込んできた。

「この暗がりの中だと、さっきよりももっと頑丈な男のように、おまえさんは大きく見えますね。おまえさんは暗やみを食べて生きているのですか、ラザルスさん。私はほんの小さな火でも得られるなら、もうどんな小さな火でもいいと思いますが……。私はなんとなく寒さを感じてきたのですが、おまえさんは毎晩、こんな野蛮な寒い思いをなさるのですか。もしもこんなに暗くなかったら、おまえさんが私を眺めているということが分かるのですが……。そう、どうも私を見ているような気がしますがね。なぜ私を見つめているのです。しかしおまえさんは笑っていますね」

夜が来て、深い闇が空気をうずめた。

「あしたになって太陽がまた昇ったら、どんなにいいでしょうな。私は、まあ友達などの言うところによりますと、おまえさんも知っているはずの、名の売れた彫刻家です。わたしは創作をします。そうです、まだ実行にまではゆきませんが、私には太陽がいるのです。そうして、その日光を得られれば、私には冷たい大理石に生命をあたえ、響きある青銅を輝く温かい火で鎔（とか）すことが出来るのです。……やあ、おまえさんの手がわたしに触れましたね」

「おいでなさい。あなたは私のお客です」と、ラザルスは言った。

そうして、長い夜は地球をおおい包んだ。

朝になって、もう太陽が高く昇っているのに、主人のアウレリウスが帰って来ないので、奴隷は主人を捜しにいった。彼は主人とラザルスをそれからそれへと尋ねあるいて、最後に熾くがごとくにまばゆい日光を正面に受けながら、二人が黙って坐ったままで、上のほうを眺めているのを発見した。奴隷は泣き出して叫んだ。

「旦那さま、あなたはどうなすってしまったのです、旦那さま」

その日に、アウレリウスはローマへ帰るべく出発した。道中も彼は深い考えに沈み、ほとんど物も言わずに、往来の人とか、船とか、すべての事物から何物をか頭のなかに烙きつけようとでもするように、いちいちに注目していった。沖へ出ると、風が起こってきたが、彼は相変わらず甲板の上に残って、どっと押し寄せては沈んでゆく海を熱心に眺めていた。

家に帰り着くと、彼の友達らはアウレリウスの様子が変わっているのに驚いた。しかし彼はその友達らを鎮めながら意味ありげに言った。

「わたしは遂にそれを発見したよ」

彼はほこりだらけの旅装束のままで、すぐに仕事に没頭した。大理石はアウレリウスのさえた槌の音をそのままに反響した。彼は長いあいだ誰をも仕事場へ入れずに、一心不乱に仕事に努めていたが、ある朝彼はいよいよ仕事が出来上がったから、友達の批評家らを呼び集めるようにと家人に言いつけた。彼はまっかな麻亜織りに黄金を輝かせた荘厳な衣服にあらためて、かれらを迎えた。

「これがわたしの作品だ」と、彼は深い物思いにふけりながら言った。

それを見守っていた批評家らの顔は深い悲痛な影におおわれてきた。その作品は、どことなく異様な、今までに見慣れていた線は一つもなく、しかも何か新しい、変わった観念の暗示をあたえていた。細い曲がった一本の小枝、というよりはむしろ小枝に似たある不格好な細長い物体の上に、一人の——まるで形式を無視した、みにくい盲人が斜めに身を支えている。その人物たるや、まったく歪んだ、なにかの塊を引き延ばしたとも、あるいはたがいに離れようとして徒らに力なくもがいている粗野な断片の集まりとも見えた。ただ、どう考えても偶然としか思えないのは、この粗野な断片の一つのもとに、一羽の蝶が真に迫って彫ってあって、その透き通るような翼を持った快活な愛らしさ、鋭敏さ、美しさは、まさに飛躍せんとする抑えがたき本能にふるえているようであった。

「この見事な蝶はなんのためなんだね、アウレリウス」と、誰かがためらいながら言った。

「おれは知らない」と、アウレリウスは答えた。

結局、アウレリウスから本心を聞かされないので、彼をいちばん愛していた友達の一人が断乎として言った。

「これは醜悪だよ、君。壊してしまわなければいかん。槌を貸したまえ」

その友達は槌でふた撃ち、この怪奇なる盲人を微塵に砕いてしまって、生きているような蝶だけをそのままに残しておいた。

以来、アウレリウスは創作を絶って、大理石にも、青銅にも、また永遠の美の宿っていた彼の霊妙なる作品にも、まったく見向きもしなくなった。彼の友達らは彼に以前のような仕事に対する熱情を喚起させようというので、彼を連れ出して、他の巨匠の作品を見せたりしたが、依然として無関心なるアウレリウスは微笑みながら口をつぐんで、美についてのかれらのお談義に耳を傾けてから、いつも疲れた気のなさそうな声で答えた。

「だが、それはみな嘘だ」

太陽のかがやいている日には、彼は自分の壮大な見事な庭園へ出て、日かげのない場所を見つけて、太陽のほうへ顔を向けた。赤や白の蝶が舞いめぐって、酒機嫌の酒森の神のゆがんだ口唇からは、水が虹を立てながら大理石の池へ落ちていた。しかしアウレリウスは身動ぎもせずにすわっていた。――ずっと遠い、石ばかりの荒野の入り口で、熾烈の太陽に直射されながら坐っていたあのラザルスのように――。

五

神聖なるローマ大帝アウグスタス自身がラザルスを召されることになった。皇帝の使臣たちは、婚礼の儀式へ臨むような荘厳な花聟の衣裳をラザルスに着せた。そうして、彼は自分の一生涯おそらく知らないであろうと思われる花嫁の聟としてこの衣裳を着ていた。それはあたかも古い腐った棺桶に金鍍金をして、新しい灰色の総で飾られたようなものであった。華やかな服装をした皇帝の使臣たちは、ラザルスのうしろから結婚式の行列のように騎馬でつづくと、その先頭では高らかに喇叭を吹き鳴らして、皇帝の使臣のために道をひらくように人びとに告げ知らせた。しかしラザルスの行く手には誰も立つ者はなかった。彼の生地では、この奇蹟的によみがえった彼の憎悪すべき名前を呪っていたので、人びとは恐ろしい彼が通るということを知って、みな散りぢりに逃げ出した。真鍮の金属性の音はいたずらに静かな大空にひびいて、荒野のあなたに谺していた。ラザルスは海路を行った。

彼の乗船は非常に豪奢に装飾されていたにもかかわらず、かつて地中海の瑠璃色の波に映った船のうちでは最も悼ましい船であった。他の客も大勢乗り合わせていたが、寂莫として墓のごとく、傲然とそり返っている船首をたたく波の音は絶望にむせび泣いているようであった。

ラザルスは他の人びとから離れて、太陽にその顔を向けながら、さざなみの呟きを静かに傾聴していた。水夫や使臣たちは遙か向うで、ぼんやりとした影のように一団をなしていた。もしも雷が鳴り出して、赤い帆に暴風が吹きつけたらば、船はきっと覆ってしまったかもしれないほどに、船上の人間たちは、生のために戦う意志もなく、ただ、まったくぽかんとしていた。そのうちに、ようようのことで二、三人の水夫が船べりへ出て来て、海の洞にひらめく水神の淡紅色の肩か、楯を持った酔いどれの人馬が波を蹴立てて船と競走するのかを見るような気で、透き通る紺碧の海を熱心に見つめた。しかも深い海は依然として荒野のごとく、啞のごとくに静まり返っていた。

ラザルスはまったく無頓着に、永遠の都のローマに上陸した。人間の富や、荘厳無比の宮殿を持つローマは、あたかも巨人によって建設されたようなものであったが、ラザルスにとってはそのまばゆさも、美しさも、洗練された人生の音楽も、結局荒野の風の谺か、砂漠の流砂の響きとしか聞こえなかった、戦車は走り、永劫の都の建設者や協力者の群れは傲然として巷をゆき、歌は唄われ、噴水や女は玉のごとくに笑い、酔える哲学者が大道に演説すれば、素面の男は微笑をうかべて聴き、馬の蹄は石の鋪道を蹴立てて走っている。それらの中を一人の頑丈な、陰鬱な大男が沈黙と絶望の冷やかな足取りで歩きながら、こうした人びとの心に不快と、忿怒と、なんとはなしに悩ましげな倦怠とを播いていった。ローマにおいてすら、なお悲痛な顔をしているこのラザルスを見た市民は、驚異の感に打たれて眉をひそめた。二日の後にローマ全市は、彼が奇蹟的によみがえったラザルスであることを知るや、恐れて彼を遠ざけるようになった。

その中にはまた、自分たちの胆力を試してみようという勇気のある人たちも現われてきた。そういう時には、ラザルスはいつも素直に無礼なかれらの招きに応じた。皇帝アウグスタスは国事に追われて、彼を召すのがだんだんに延びていたので、ラザルスは七日のあいだ、他の人びとのところへ招かれて行った。

ラザルスが一人の享楽主義者の邸へ招かれたとき、主人公は大いに笑いながら彼を迎えた。

「さあ、一杯やれ、ラザルス君。お前が酒を飲むところをごらんになったら、皇帝も笑わずにはいられまいて」と、主人は大きい声で言った。

半裸体の酔いどれの女たちはどっと笑って、ラザルスの紫色の手に薔薇(ばら)の花びらを振りかけた。しかもこの享楽主義者がラザルスの眼をながめたとき、彼の歓楽は永劫に終りをつげてしまった。彼は一滴の酒も口にしないのに、その余生をまったく酔いどれのように送った。そうして、酒がもたらすところの楽しい妄想の代りに、彼は恐ろしい悪夢に絶えずおそわれ、昼夜を分かたずその悪夢の毒気を吸いながら、かの狂暴残忍なローマの先人たちよりも更に物凄(ものすご)い死を遂げた。

ラザルスはまた、ある青年と彼の愛人のところへ呼ばれて行った。かれらはたがいに恋の美酒に酔っていたので、その青年はいかにも得意そうに、恋びとを固く抱擁しながら、穏かに同情するような口ぶりで言った。

「僕たちを見たまえ、ラザルス君。そうして、僕たちの悦びを一緒に喜んでくれたまえ。この世の中に恋より力強いものがあろうか」

ラザルスは黙って二人を見た。その以来、この二人の恋人同士は互いに愛し合っていながらも、かれらの心はおのずから楽しまず、さながら荒れ果てた墓地に根をおろしているサイプレスの木が、寥寂たる夕暮れにその頂きをいたずらに天へとどかせようとしているかのように、その後半生を陰鬱のうちに送ることとなった。不思議な人生の力に駆られて互いに抱擁し合っても、その接吻にはにがい涙があり、その逸楽には苦痛がまじるので、この若い二人は、自分たちはたしかに人生に従順なる奴隷であり、沈黙と虚無の忍耐強い召使いであると思うようになった。常に和合するかと思えば、また夫婦喧嘩をして、かれらは火花のごとくに輝き、火花のごとくに常闇の世界へと消えていった。

ラザルスは更にまた、ある高慢なる賢人の邸へ招かれた。

「わたしはおまえがあらわすような恐怖ならば、みな知っている。おまえはこのわたしを恐れさせるようなことが出来るかな」と、その賢人は言った。

しかもその賢人は、恐怖の知識というものは恐怖そのものではなく、死の幻影は死そのものではないことをすぐに知った。また賢こさと愚かさとは無限の前には同一であること、何となればそれらの区別はただ人間が勝手に決めたのであって、無限には賢こさも愚かさもないことを識った。したがって、有智と無智、真理と虚説、高貴と卑賤とのあいだの犯すべからざる境界線は消え失せて、ただ無形の思想が空間にただよっているばかりとなってしまった。そこで、その賢人は白髪(しらが)の頭をつかんで、狂気のように叫んだ。

「わたしには分からない。私には考える力がない」

こうして、この奇蹟的によみがえった男を、ひと目見ただけで、人生の意義と悦楽とはすべて一朝にして滅びてしまうのである。そこで、この男を皇帝に謁見させることは危険であるから、いっそ彼を亡き者にしてひそかに埋めて、皇帝にはその男は行くえ不明になったと申し上げたほうがよかろうという意見が提出された。それがために首斬り刀はすでに研(と)がれ、市民の安寧維持をゆだねられた青年たちが首斬り人を用意した時、あたかも皇帝から明日ラザルスを召すという命令が出たので、この残忍な計画は破壊された。

そこで、ラザルスを亡き者にすることが出来ないまでも、せめては彼は顔から受ける恐ろしい印象をやわらげる事ぐらいは出来るであろうという意見で、腕のある画家や、理髪師や、芸術家らを招いて、徹夜の大急ぎでラザルスの髯を刈って巻くやら、絵具でその顔や手の死びと色の斑点を塗り隠すやら、いろいろの細工が施された。今までの顔に深いみぞを刻んでいた苦悩の皺(しわ)は、人びとに嫌悪の情を起こさせるというので、それもみな塗りつぶされて、そのあとは温良な笑いと快活さとを巧妙な彩筆をもって描くことにした。

ラザルスは例の無関心で、大勢のなすがままに任せていたので、たちまちにしていかにもよく似合った頑丈な、孫の大勢ありそうな好好爺（こうこうや）に変わってしまった。ついこの間まで糸を紡（つむ）ぎながら浮かべていた微笑が、今もその口のほとりに残っているばかりか、その眼のどこかには年寄り独特の穏かさが隠れているように見えた。しかもかれらは婚礼の衣裳までも着換えさせようとはしなかった。また、この世の人間と未知のあの世とを見つめている、二つの陰鬱な物凄い、鏡のような彼の両眼までも取り換えることは出来なかったのである。

六

ラザルスは宮殿の崇高なるにも心を動かされなかった。彼にとっては荒野に近い崩れ家も、善美を尽くした石造の宮殿もまったく同様であったので、相変わらず無関心に進み入った。彼の足の下では堅い大理石の床（ゆか）も荒野の砂にひとしく、彼の眼には華美な宮廷服を身にまとった傲慢（ごうまん）な人びとも、すべて空虚な空気に過ぎなかった。ラザルスがそばを通ると、誰もその顔を正視する者もなかったが、その重い跫音（あしおと）がまったく聞こえなくなると、かれらは宮殿の奥深くへだんだんに消えてゆく、やや前かがみの老偉丈夫のうしろ姿を穿（せん）

索(さく)するように見送った。死そのもののような彼が過ぎ去ってしまえば、もうこの以上に恐ろしいものはなかった。今までは死せる者のみが死を知り、生ける者のみが人生を知っていて、両者のあいだには何の連絡もないものと考えられていたのであるが、ここに生きながらに死を知っている、謎のような恐るべき人物が現われてきたということは、人びとにとって実に呪うべき新知識であった。

「彼はわれわれの神聖なるアウグスタス大帝の命を取るであろう」と、かれらは心のうちで思った。そうして、奥殿深く進んでゆくラザルスのうしろ姿に呪(のろ)いの声を浴びせかけた。

皇帝はあらかじめラザルスの人物を知っていたので、そのように謁見(えっけん)の準備を整えておいた。しかも皇帝は勇敢な人物で、自己の優越なる力を意識していたので、死から奇蹟的によみがえった男と生死を争う場合には、臣下の助勢などを求めるのをいさぎよしとしなかった。皇帝はラザルスと二人ぎりで会見した。

「おまえの眼をわしの上に向けるな、ラザルス」と、皇帝はまず命令した。「おまえの顔はメドゥーサの顔のようで、おまえに見つめられた者は誰でも石に化すると聞いていたので、わしは石になる前に、まずおまえに逢い、おまえと話してみたいのだ」

彼は内心恐れていないでもなかったが、いかにも皇帝らしい口ぶりでこう言い足した。それからラザルスに近寄って、熱心に彼の顔や奇妙な礼服などを調べてみた。彼は鋭い眼力を持っていたにもかかわらず、ラザルスの変装に騙されてしまった。

「ほう、おまえは別に物凄いような顔をしていないではないか。いいお爺さんだ。もしも恐怖というものがこんなに愉快な、むしろ尊敬すべき風采をそなえているならば、われわれにとってはかえって悪いことだとも言える。さて、話そうではないか」

アウグスタスは座に着くと、言葉よりも眼をもってラザルスにむかいながら、問答を始めた。

「なぜおまえはここへはいって来た時に、わしに挨拶をしなかったのだ」

「わたしはその必要がないと思いましたからです」と、ラザルスは平気で答えた。

「おまえはクリスト教徒か」

「いいえ」

アウグスタスはさこそといったようにうなずいた。

「よし、よし。わしもクリスト教徒は嫌いだ。かれらは人生の樹に実がまだいっぱいに生らないうちにその樹をゆすって、四方八方に撒き散らしている。ところで、おまえはどういう人間であるのだ」

ラザルスは眼に見えるほどの努力をして、ようように答えた。

「わたしは死んだのです」

「それはわしも聞き及んでいる。しかし現在のおまえはいかなる人物であるのか」

ラザルスは黙っていたが、遂にうるさそうな冷淡な調子で、「私は死んだのです」と、くりかえし言った。

皇帝は最初から思っていたことを言葉にあらわして、はっきりと力強く言った。

「まあ聞け、外国のお客さん。わしの領土は現世の領土であり、わしの人民は生きた人間ばかりで、死んだ人間などは一人もいない。したがって、おまえはわしの領土では余計な者だ。わしはおまえがいかなる者であり、また、このローマをいかに考えているかを知らない。しかしおまえが嘘を言っているのならば、わしはおまえのその嘘を憎む。また、もし本当のことを語っているのならば、わしはおまえのその真実をも憎む。わしの胸には生(せい)の鼓動を感じ、わしの腕には力を感じ、わしの誇りとする思想は鷲のごとくに空間を看破(かんぱ)する。わしの領土のどんな遠い所でも、わしの作った法律の庇護(ひご)のもとに、人民は生き、働き、そうして享楽している。おまえには死と戦っているかれらの叫び声が聞こえないのか」

アウグスタスはあたかも祈禱(きとう)でもするように両腕を差し出して、更におごそかに叫んだ。

「幸いあれ。おお、神聖にして、かつ偉大なる人生よ」

ラザルスは沈黙を続けていると、皇帝はますます高潮して来る厳粛の感にたえないように、なおも言葉をつづけた。

「死の牙から辛うじて救われた、哀れなる人間よ。ローマ人はおまえがここに留まることを欲しない。おまえは人生に疲労と嫌悪とを吹き込むものだ。おまえは田畑の蛆虫のように、歓喜に満ちた穂をいぶかしそうに見つめながら、絶望と苦悩のよだれを垂らしているのだ。おまえの真理はあたかも夜の刺客の手に握られている錆びた劔のようなもので、おまえはその劔のために刺客の罪名のもとに死刑に処せらるべきである。しかし、その前におまえの眼をわしに覗かせてくれ。おそらくおまえの眼を怖れるのは臆病者ばかりで、勇者の胸にはかえって争闘と勝利に対する渇仰を呼び起こさせるであろう。その時にはおまえは恩賞にあずかって、死刑は赦されるであろう。さあ、わしを見ろ。ラザルス」

　アウグスタスも最初は、友達が自分を見ているのかと思ったほどに、ラザルスの眼は実に柔かで、温良で、たましいを蕩かすようにも感じられたのである。その眼には恐怖など宿っていないのみならず、かえってそこに現われているこころよい安息と博愛とが、皇帝には温和な主婦のごとく、慈愛ふかい姉のごとく、母のごとくにさえ感じられた。しかも、その眼の力はだんだんに強く迫ってきて、嫌がる接吻をむさぼり求めるようなその眼は皇帝の息をふさぎ、その柔かな肉体の表面には鉄の骨があらわれ、その無慈悲な環が刻一刻と締めつけてきて、眼にみえない鈍い冷たい牙が皇帝の胸に触れると、ぬるぬると心臓に喰い入っていった。

「ああ、苦しい。しかし、わしを見つめていろ、ラザルス。見つめていろ」と、神聖なるアウグスタスは蒼ざめながら言った。

ラザルスのその眼は、あたかも永遠にあかずの重い扉が徐じょにあいて来て、その隙間から少しずつ永劫の恐怖を吐き出しているようでもあった。二つの影のように、果てしもない空間と底知れぬ暗黒とがあらわれて、太陽を消し、足もとから大地を奪って、頭の上からは天空を消してしまった。これほどに冷え切って、心を痛くさせるものがまたとあるであろうか。

「もっと見ろ。もっと見ろ、ラザルス」と、皇帝はよろめきながら命じた。

時が静かにとどまって、すべてのものが恐ろしくも終わりに近づいてきた。皇帝の座は真っ逆さまになったと思う間もなく崩れ落ちて、アウグスタスの姿は王座と共に消え失せた。――音もなくローマは破壊されて、その跡には新しい都が建設され、それもまた空間に呑み込まれてしまった。まぼろしの巨人のように、都市も、国家も、国ぐにもみな倒れて、空虚なる闇のうちに消えると、無限の黒い胃嚢が平気でそれらを呑み込んでしまった。

「やめてくれ」と、皇帝は命令した。

彼の声にはすでに感情を失った響きがあり、その両手も力なく垂れ、突撃的なる暗黒と向う見ずに戦っているうちに、その赫かくたる両眼は何物も見えなくなったのである。

「ラザルス。おまえはわしの命を奪った」と、皇帝は気力のない声で言った。

この失望の言葉が彼自身を救った。皇帝は自分が庇護しなければならない人民のことを思い浮かべると、気力を失いかけた心臓に鋭い痛みをおぼえて、それがためにやや意識を取り戻した。

「人民らも死を宣告されている」と、彼はおぼろげに考えた。無限の暗黒の恐ろしい影――それを思うと恐怖がますます彼に押しかかってきた。

「沸き立っている生き血を持ち、悲哀とともに偉大なる歓喜を知る心を持つ、破れやすい船のような人民……」と、皇帝は心のうちで叫んだ時、心細さが彼の胸を貫いた。

かくのごとく、生と死との両極のあいだにあって反省し、動揺しているうちに、皇帝は次第に生命を回復してくると、苦痛と歓喜との人生のうちに、空虚なる暗黒と無限の恐怖を防ぐだけの力のある楯のあることに気がついた。

「ラザルス。おまえはわしを殺さなかったな。しかしわしはおまえを殺してやろう。去れ」と、皇帝は断乎として言った。

その夕方、神聖なる皇帝アウグスタスは、いつもになく愉快に食事を取った。しかも時どきに手を突っ張ったままで、火のごとくに輝いている眼がどんよりと陰ってきた。それは彼の足もとに恐怖の波の動くのを感じたからであった。打ち負かされたが、しかも破滅することなく、永遠に時の来たるのを待っている「恐怖」は、皇帝の一生を通じて一つの黒い影——すなわち死のごとくに彼のそばに立っていて、昼間は人生の喜怒哀楽に打ち負かされて姿を見せなかったが、夜になると常にあらわれた。

次の日、絞首役人は熱鉄でラザルスの両眼をえぐり取って、彼を故国へ追い帰した。神聖なる皇帝アウグスタスも、さすがにラザルスを死刑に処することは出来なかったのである。

ラザルスは故郷の荒野に帰ると、荒野はこころよい風の肌ざわりと、輝く太陽の熱とをもって彼を迎えた。彼は昔のままに石の上に坐ると、その粗野な髭むじゃな顔をあおむけた。二つの眼の代りに、二つの黒い穴はぼんやりとした恐怖の表情を示して空を見つめていた。遙かあなたの聖都は休みなしに騒然とどよめいていたが、彼の周囲は荒涼として、唖のごとくに静まり返っていた。奇蹟的に死からよみがえった彼の住居に、誰も近づく者とてはなく、遠い以前から近所の人たちは自分の家を捨てて立ち去ってしまった。

熱鉄によって眼から追い出されたので、彼の呪われたる死の知識は頭蓋骨の奥底にひそんで、そこを隠れ家とした。そうして、あたかもその隠れ家から飛び出してくるように、呪われたる死の知識は無数の、無形の眼を人間に投げかけた。誰ひとりとして、あえてラザルスを正視するものはなかった。

　夕日がいっそう大きく紅くなって、西の地平線へだんだんに沈みかけると、盲目のラザルスはその後を追ってゆく途中、頑丈ではあったが、またいかにも弱よわしそうに、いつも石につまずいて倒れた。まっかな夕日に映ずる彼の黒いからだと、まっすぐに開いた彼の両手とは、さながら巨大なる十字架のように見えた。

　ある日、いつものように夕日を追って行ったままで、ラザルスはついに帰って来なかった。こうして謎のように死から奇蹟的によみがえった彼が再生の生涯も、終わりを告げたのであった。

幽霊

モーパッサン

モーパッサン　Guy De Maupassant

一八五〇年八月五日、ノルマンディーに生まる。仏国著名の小説家にして多量の短編小説を出したるをもって、わが国の読者にもよくその名を知らる。一八九二年突然に発狂し、翌年七月六日をもって精神病院に逝く。

私たちは最近の訴訟事件から談話に枝が咲いて、差押えということについて話し合っていた。それはルー・ド・グレネルの古い別荘で、親しい人たちが一夕(いっせき)を語り明かした末のことで、来客は交るがわるにいろいろの話をして聞かせた。どの人の話もみな実録だというのである。

そのうちに、ド・ラ・トール・サミュールの老侯爵が起(た)ちあがって、煖炉(だんろ)の枠によりかかった。侯爵は当年八十二歳の老人である。かれは少し慄(ふる)えるような声で、次の話を語り出した。

わたしも眼(ま)のあたりに不思議なものを見たことがあります。それは私が一生涯の悪夢であったほどに不思議な事件で、今から振り返ると五十六年前の遠い昔のことですが、いまだにその怖ろしい夢に毎月おそわれているのです。そのことのあった日から、わたしは恐怖ということを深く刻みつけられてしまったのです。まったくその十分間は恐怖の餌になって、その怖ろしさが絶えず私の心に残っているのです。不意に物音がきこえると、私は心からぞっとします。夕方の薄暗いときに何か怪しい物をみると、わたしは逃げ出したくなります。私は夜を恐れています。

いや、私もこの年になるまでは、こんなことを口外しませんでしたが、今はもう一切をお話し申してもよろしいのです。八十二歳の老人が空想的の危険を恐れることはあっても、実際的の危険に再び遭遇することはありませんでした。奥さんたちもお聴きください。その事件は私がけっして話すことができないほどに、わたしの心を転倒させ、深い不可思議な不安を胸いっぱいに詰め込んでしまったのです。私はわれわれの悲哀や、われわれの恥かしい秘密や、われわれの人生の弱点や、どうも他人にむかって正直に告白することのできないものを、今まで心の奥底に秘めておきました。

私はこれから何の修飾も加えずに、不思議の事件をただありのままに申し上げましょう。その真相はわたし自身にもなんとも説明のしようがない。まずその短時間のあいだ私が発狂したとでも言うよりほかはありますまい。しかし私が発狂したのではないという証拠がありますす。いや、それらの想像はあなたがたの自由に任せて、わたしは正直にその事実をお話し申すことにしましょう。

それは一八二七年の七月、わたしが自分の連隊を率いて、ルーアンに宿営している当時のことでした。ある日、わたしが波止場の近所をぶらついていると、なんだか見覚えのあるような一人の男に出逢ったので、少しく歩みをゆるめて立ち停まりかけると、相手もわたしの様子を見て、じっと眺めていましたが、やがて飛びつくように私の腕に取りすがりました。

よく見ると、それはわたしの若いときに非常な仲よしであった友達で、わずか五年ほど逢わないうちに五十年も年をとったように老けて見えました。その髪はもう白くなって、歩くのさえも大儀そうでした。あまりの変わりかたに私も驚いていると、相手もそれを察したらしく、まず自分の身の上話を始めました。聞いてみると、一大事件が彼に打撃を与えたのでした。彼はある日若い娘と恋におちて、気違いのように逆上あがって、ほとんど夢中でその女と結婚して、それから一年ほどのあいだは無茶苦茶に嬉しく楽しく暮らしていたのですが、女は心臓病で突然に死んでしまいました。もちろん、あまりに仲がよすぎた結果です。

彼は妻の葬式の日に、わが住む土地を立ちのいて、このルーアンへ来て仮住居をしているのですが、その淋しさと悲しさは言うまでもありません。深い嘆きが身に食い入って、彼はしばしば自殺を企てたほどでした。その話をした後に、彼はこう言いました。

「ここで再び君に出逢ったのはちょうど幸いだ。ぜひ頼みたいことがある。わたしの別荘へ行って、ある書類を取って来てくれたまえ。それは至急に入用なのだからね。その書類はわたしの部屋……いや、われわれの部屋の机の抽斗(ひきだし)にはいっているのだが、何分(なにぶん)にも秘密の使いだから弁護士や雇い人を出してやるわけにいかないのだ。私は部屋を出るときに厳重に錠をおろしてきたから、その鍵を君に渡しておく。机のひきだしの鍵も一緒に渡すから、持っていってくれたまえ。それから君がいったら案内するように、留守番の園丁にもひと筆かいてやる。万事はあすの朝、飯を一緒に食いながら相談することにしよう」

別にむずかしい役目でもないので、わたしは引き受けました。ここからその別荘という家までは二十五マイルに過ぎないのですから、私にとってはちょうどいい遠足で、馬でゆけば一時間ぐらいで到着することが出来るのでした。

明くる朝の十時ごろに、二人は一緒に朝飯を食いました。しかし彼は格別の話もせず、わずかに二十語ほど洩らしたのちに、もう帰ると言い出したのです。ただ、わたしが頼まれてゆく彼の部屋には、彼の幸福が打ちくだかれて残っていて、私がそこへ尋ねてゆくということを考えるだけでも、彼は自分の胸のうちに一種秘密の争闘が起こっているかのように、ひどく不安であるらしく見えましたが、それでも結局わたしに頼むことを正直に打ち明けました。それははなはだ簡単な仕事で、きのうもちょっと話した通り、机の右のひきだしに入れてある手紙のふた包みと書類とを取り出して来てくれろというだけのことでした。そうして、彼は最後にこの一句を付け加えました。

「その書類を見てくれるなとは言わないよ」

はなはだ失礼な言葉に、わたしは感情を害しました。人の重要書類を誰がむやみに見るものかと、やや激しい語気できめつけると、彼も当惑したように口ごもりました。

「まあ堪忍（かんにん）してくれたまえ。私はひどくぼんやりしているのだから」と、こう言って、彼は涙ぐんでいました。

その日の午後一時ごろに、わたしはこの使いを果たすために出発しました。きょうはまぶしいほどに晴れた日で、わたしは雲雀（ひばり）の歌を聴きながら、乗馬靴に調子を取って戛（かつ）かつとあたる帯剣の音を聴きながら、牧場を乗りぬけて行きました。そのうちに森のなかに入り込んだので、わたしは馬を降りて歩きはじめると、木の枝が柔かに私の顔をなでるのです。わたしは時どきに木の葉の一枚をむしり取って、歯のあいだで噛（か）んだりしました。この場合、なんとも説明のできない愉快を感じたのです。

教えられた家に近づいた時に、私は留守番の園丁に渡すはずの手紙を取り出すと、それには封がしてあるので、私は驚きました。これでは困る。いっそこのままに引っ返そうかと、すこぶる不快を感じましたが、また考えると、彼もあの通りぼんやりしているのであるから、つい迂闊と封をしてしまったのかもしれない。まあ、悪く取らないほうがいいと思い直したのです。そこでよく見ると、この別荘風の建物は最近二十年ぐらいは空家になっていたらしく、門は大きくひらいたままで腐っていて、草は路を埋めるように生い茂っていました。

わたしが雨戸を蹴る音を聞きつけて、ひとりの老人が潜り戸をあけて出て来ましたが、彼はここに立っている私の姿を見て非常におどろいた様子でした。私は馬から降りて、かの手紙を差し出すと、老人はそれを一度読み、また読み返して、疑うような眼をしながら私に訊きました。

「そこで、あなたはどういう御用でございますか」

「おまえの主人の手紙に書いてあるはずだ。わたしはここの家へはいらせてもらわなければならない」

彼はますます転倒した様子で、また言いました。

「さようでございますか。では、あなたがおはいりになるのですか、旦那さまのお部屋へ……」

わたしは焦れったくなりました。

「ええ、おまえは何でそんなことを詮議するのだ」

彼は言い渋りながら、「いいえ、あなた。ただ、その……。あの部屋は不幸のあったのちにあけたことがないので……。どうぞ五分間お待ちください。わたくしがちょっといって、どうなったか見てまいりますから」

わたしは怒って、彼をさえぎりました。

「冗談をいうな。おまえはどうしてその部屋へいかれると思うのだ。部屋の鍵はおれが持っているのだぞ」

彼ももう詮方が尽きたらしく、「では、あなた。ご案内をいたしましょう」

「階子のある所を教えてくれればいい。おれが一人で仕事をするのだ」

「でも、まあ、あなた……」

わたしの癇癪は破裂しました。

「もう黙っていろ。さもないと、おまえのためにならないぞ」

わたしは彼を押しのけて、家のなかへつかつかと進んでゆくと、最初は台所、次はかの老人夫婦が住んでいる小さい部屋、それを通りぬけて大きい広間へ出ました。そこから階段を昇ってゆくと、私は友達に教えられた部屋の扉を認めました。鍵を持っているので、雑作もなしに扉をあけて、私はその部屋の内へはいることが出来ました。

部屋の内はまっ暗で、最初はなんにも見えないほどでした。私はこういう古い空き間に付きものの、土臭いような、腐ったような臭いにむせながら、しばらく立ち停まっているうちに、わたしの眼はだんだんに暗いところに馴れてきて、乱雑になっている大きい部屋のなかに寝台の据えてあるのがはっきりと見えるようになりました。寝台にシーツはなく、三つの敷蒲団と二つの枕がならべてあるばかりで、その一つには今まで誰かがそこに寝ていたように、頭や肱の痕がありありと深く残っていました。

椅子はみな取り散らされて、おそらく戸棚であろうと思われる扉も少しあけかけたままになっていました。私はまず窓ぎわへ行って、明かりを入れるために戸をあけたが、外の鎧戸の蝶つがいが錆びているので、それを外すことが出来ない。剣でこじあけようとしたが、どうもうまくゆきませんでした。こんなことをしているうちに、私の眼はいよいよ暗いところに馴れてきたので、窓をあけることはもう思い切って、わたしは机のほうへ進み寄りました。そうして、肱かけ椅子に腰をおろして抽斗をあけると、そのなかには何かいっぱいに詰まっていましたが、わたしは三包みの書類と手紙を取り出せばいいので、それはすぐに判るように教えられているのですから、早速それを探し始めました。

私はその表書きを読み分けようとして、暗いなかに眼を働かせている時、自分のうしろの方で軽くかさりという音を聴きました。聴いたというよりも、むしろ感じたというのでしょう。しかしそれは隙間を洩る風がカーテンを揺すったのだろうぐらいに思って、わたしは別に気にもとめなかった。ですが、そのうちにまた、かさりという、それが今度はよほどはっきりと響いて、わたしの肌になんだかぞっとするような不愉快な感じをあたえましたが、そんな些細なことにいちいちびくびくして振り向いているのも馬鹿らしいので、そのままにして探し物をつづけていました。ちょうど第二の紙包みを発見して、さらに第三の包みを見つけた時、私の肩に近いあたりで悲しそうな大きい溜め息がきこえたので、私もびっくりして二ヤードほどもあわてて飛びのいて、剣の柄に手をかけながら振り返りました。剣を持っていなかったら、私は臆病者になって逃げ出したに相違ありません。

ひとりの背の高い女が白い着物をきて、今まで私が腰をかけていた椅子のうしろに立って、ちょうど私と向かい合っているのです。私はほとんど引っくり返りそうになりました。そのときの物凄さはおそらく誰にもわかりますまい。もしあなたがたがそれを見たらば、魂は消え、息は止まり、総身は海綿のように骨なしになって、からだの奥までぐずぐずに頽れてしまうことでしょう。

わたしは幽霊などを信じる者ではありません。それでも、死んだ者のなんともいえない怖ろしさの前には降参してしまいました。わたしは実に困りました。しばしは途方に暮れました。その後、一生の間にあの時ほど困ったことはありません。

　女がそのままいつまでも黙っていたならば、私は気が遠くなってしまったでしょう。しかも女は口を利きました。私の神経を顫わせるような優しい哀れな声で話しかけました。この時、わたしは自分の気を取り鎮めたとはいわれません。実は半分夢中でしたが、それでも私には一種の誇りがあり、軍人としての自尊心もあるので、どうやらこうやら形を整えることが出来たのです。わたしは自分自身に対して、また、かの女に対して——それが人間であろうとも、化け物であろうとも——威儀を正しゅうすることになりました。相手が初めて現われたときには、何も考える余裕はなかったのですが、ここに至って、まずこれだけのことが出来るようになったのです。しかし内心はまだ怖れているのでした。

「あなた、ご迷惑なお願いがあるのでございますが……」

　わたしは返事をしようと思っても言葉が出ないで、ただ、あいまいな声が喉から出るばかりでした。

「肯いてくださいますか」と、女は続けて言った。「あなたは私を救ってくださることが出来るのです。わたしは実に苦しんでいるのです、絶えず苦しんでいるのです。ああ、苦しい」

　そう言って、女はしずかに椅子に坐って、わたしの顔を見ました。

「肯いてくださいますか」

私はまだはっきりと口がきけないので、黙ってうなずくと、女は亀の甲でこしらえた櫛をわたしに渡して、小声で言いました。

「わたしの髪を梳(す)いてください。どうぞ私の髪を梳いてください。そうすれば、わたしを癒(なお)すことが出来るでしょう。わたしの頭を見てください。どんなに私は苦しいでしょう。わたしの髪を見てください。どんなに髪が損じているでしょう」

女の乱れた髪ははなはだ長く、はなはだ黒く、彼女が腰をかけている椅子を越えて、ほとんど床に触れるほどに長く垂れているように見えました。

わたしはなぜそれをしたか。私はなぜ顫(ふる)えながらその櫛をうけ取って、まるで蛇をつかんだように冷たく感じられる女の髪に自分の手を触れたか。それは自分にも分からないのですが、そのときの冷たいような感じはいつまでも私の指に残っていて、今でもそれを思い出すと顫えるようです。

どうしていいか知りませんが、わたしは氷のような髪を梳いてやりました。たばねたり解いたりして、馬の鬣毛(たてがみ)のように一つの組糸としてたばねてやると、女はその頭を垂れて溜め息をついて、さも嬉しそうに見えましたが、やがて突然に言いました。

「ありがとうございました」

わたしの手から櫛を引ったくって、半分あいているように思われた扉から逃げるように立ち去ってしまいました。ただひとり取り残されて、私は悪夢から醒めたように数秒間はぼんやりとしていましたが、やがて意識を回復すると、ふたたび窓ぎわへ駈けて行って、めちゃくちゃに鎧戸をたたきこわしました。

外のひかりが流れ込んできたので、私はまず女の出て行った扉口へ駈けよると、扉には錠がおりていて、あけることの出来ないようになっているのです。もうこうなると、逃げるよりほかはありません。わたしは抽斗をあけたままの机から三包みの手紙を早そうに引っつかんで、その部屋をかけ抜けて、階子段を一度に四段ぐらいも飛び下りて、表へ逃げ出しました。さてどうしていいか分かりませんでしたが、幸いそこに私の馬がつないであるのを見つけたので、すぐにそれへ飛び乗って全速力で走らせました

ルーアンへ到達するまでひと休みもしないで、わたしの家の前へ乗りつけました。そこにいる下士に手綱を投げるように渡して、私は自分の部屋へ飛び込んで、入り口の錠をおろして、さて落ちついて考えてみました。

そこで、自分は幻覚にとらわれたのではないかということを一時間も考えました。たしかにわたしは一種の神経的な衝動から頭脳に混乱を生じて、こうした超自然的の奇蹟を現出したのであろうと思いました。ともかくもそれが私の幻覚であるということにまず決めてしまって、私は起って窓のきわへ行きました。そのときふと見ると、私の下衣のボタン

に女の長い髪の毛がいっぱいにからみついているではありませんか。わたしはふるえる指さきで、一つ一つにその毛を摘み取って、窓の外へ投げ捨てました。

　わたしは下士を呼びました。わたしはあまりに心も乱れている、からだもあまりに疲れているので、今日すぐに友達のところへ尋ねて行くことは出来ないばかりか、友達に逢ってなんと話していいかをも考えなければならなかったからです。

　使いにやった下士は、友達の返事を受け取って来ました。友達はかの書類をたしかに受け取ったと言いました。彼はわたしのことを聞いたので、下士は私の快くないということを話して、たぶん日射病か何かに罹ったのであろうと言うと、彼は悩ましげに見えたそうです。

　わたしは事実を打ち明けることに決めて、翌日の早朝に友達をたずねて行くと、彼はきのうの夕に外出したままで帰ってこないというのです。その日にまた出直して行きましたが、彼はやはり戻らないのです。それから一週間待っていましたが、彼はついに戻らないので、私は警察に注意しました。警察でもほうぼうを捜索してくれましたが、彼が往復の踪跡を発見することが出来ませんでした。

　かの空家も厳重に捜索されましたが、結局なんの疑うべき手がかりも発見されませんでした。そこに女が隠されていたような形跡もありませんでした。取り調べはみな不成功に終わって、この以上に捜索の歩を進めようがなくなってしまいました。

その後五十六年の間、わたしはそれについてなんにも知ることが出来ません。私はついに事実の真相を発見し得ないのです。

鏡中の美女

マクドナルド

マクドナルド George MacDonald

スコットランドの詩人、小説家。一八二四年四月十日、アバーデンシャーに生まる。作家以外に説教家としても知らる。一九〇五年九月十八日逝く。

一

コスモ・フォン・ウェルスタールはプラーグの大学生であった。

彼は貴族の一門であるにもかかわらず、貧乏であった。そうして、貧乏より生ずるところの独立をみずから誇っていた。誰でも貧乏から逃がれることが出来なければ、むしろそれを誇りとするよりほかはないのである。彼は学生仲間に可愛がられていながら、さてこれという友達もなく、学生仲間のうちでまだ一人も、古い町の最も高い家の頂上にある彼の下宿の戸口へはいった者はないのであった。

彼の謙遜的の態度が仲間内には評判がよかったのであるが、それは実のところ彼の隠遁的の思想から出ているのであった。夜になると、彼は誰からも妨げられることなしに、自分の好きな学問や空想にふけるのである。それらの学問のうちには、学校の課程に必要な学科のほかに、あまり世間には知られもせず、認められもしないようなものが含まれていた。彼の秘密の抽斗には、アルベルタス・マグナス（十三世紀の科学者、神学者、哲学者）や、コンネリウス・アグリッパ（十五世紀より十六世紀にわたる哲学者で、錬金術や魔法を説いた人）の著作をはじめとして、その他にもあまりひろく読まれていない書物や、神秘的のむずかしい書物などがしまい込まれてあった。しかもそれらの研究は単に彼の好奇心にとどまって、それを実地に応用してみようなどという気はなかったのである。

その下宿は大きい低い天井の部屋で、家具らしい物はほとんどなかった。木製の椅子が一対、夜も昼も寝ころんで空想にふける寝台が一脚、それから大きい黒い槲の書棚が一個、そのほかには部屋じゅうに家具と呼ばれそうな物は甚だ少ないのであった。その代りに、部屋の隅ずみには得体の知れない器具がいろいろ積まれてあって、一方の隅には骸骨が立っていた。その骸骨は半ばはうしろの壁に倚りかかり、半ばは紐でその頸を支えていて、片手の指をそのそばに立ててある古い剣の柄がしらの上に置いているのであった。ほかにもいろいろの武器が床の上に散らかっている。壁はまったく装飾なく、羽をひろげた大きいひからびた蝙蝠や、豪猪の皮や剝製の海毛虫や、それらが何だか分からないような形になって懸かっている。但し、彼はこんな不可思議な妄想に耽っているかと思えば、また一方にはそれとまったく遠く懸け離れたことをも考えているのであった。

かれの心はけっして恍惚たる感情をもって満たされているのではなく、あたかも戸外の暁け方のように、匂いをただよわす微風ともなり、また、あるときは大木を吹きたわませる暴風ともなるのであった。彼は薔薇（ばら）色の眼鏡を透してすべての物を見た。かれが窓から下の町を通る処女（おとめ）をみおろした時、その処女はすべて小説ちゅうの人物ならざるはなく、彼女の影が遠く街路樹のうちに消え去るまで、それを考えつづけているのである。彼が町をあるく時、あたかも小説を読んでいるような心持ちで、そこに起こるいろいろの出来事を興味ある場面として受けいれるのである。そうして、女の美しい声が耳にはいるごとに、彼はエンゼルの翼（つばさ）が自分のたましいを撫でて行くようにも感ずるのである。実際、かれは無言の詩人で、むしろ本当の詩人よりも遙かに空想的で、かつ危険である。すなわちその心に湧くところの泉が外部へ流れ出る口を見いだすことが出来ないで、ますます水嵩（みずかさ）がいやまして、後には漲（みなぎ）りあふれて、その心の内部をそこなうことにもなるからである。

彼はいつも固い寝台に横たわって、何かの物語か詩を読むのである。のちにはその書物を取り落として、空想にふける。そうなると、夢か現（うつつ）か区別がつかない。向うの壁がはっきりとわかってきて、あさ日の光りに明かるくなった時、かれもまた初めて起きあがるのである。そうして、元気旺盛な若い者のあらゆる官能がここに眼ざめてきて、日の暮れるまで自由に読書または遊戯をつづけるのである。昼の大きい瀑布に沈んでいた夜の世界がここにあらわれてくると、彼のこころには星がきらめいて、暗い幻影が再び浮かんでくるのである。しかもそんなことを長く続かせるのはむずかしい。遅かれ早かれ何物かが美しい世界へ踏み込んで来て、迷える魔術師を跪拝(きはい)せしめなければならないのである。

ある日の午後の黄昏(たそがれ)に近いころであった。彼は例のごとく夢みるような心持ちで、この町の目貫(めぬき)の大通りをあるいていると、学生仲間のひとりが肩をたたいて声をかけた。そうして、自分は古い鎧(よろい)をみつけて、それを手に入れたいと思うから、裏通りまで一緒に来てくれないかと言った。

コスモは古代および現代の武器については非常にくわしく、斯道(しどう)の権威者とみとめられていた。ことに武器の使い方にかけては、学生仲間にも並ぶ者がなかった。そのなかでも、ある種の物の使い方に馴れているので、他のすべての物にまで彼が権威を持つようにもなったのである。コスモは喜んで彼と一緒に行った。

二人は狭い小路に入り込んで、ほこりだらけな小さい家にゆき着いた。低いアーチ型の扉(ドア)をはいると、そこには世間によく見うける種(しゅ)じゅの黴(かび)くさい、ほこりだらけの古道具がならべてあった。学生はコスモの鑑定に満足して、すぐその鎧を買うことに決めた。

そこを出るときに、コスモは壁にかけてあるほこりだらけの楕円形の古い鏡に眼をつけた。鏡の周囲には奇異なる彫刻があって、店の主人がそれを運んだ時、輝いている灯に映じても、さのみに晃らなかった。コスモはその彫刻に心を惹かれたらしかったが、その以上に注意する様子もなく、彼は友達とともにここを立ち去ったのである。二人は元の大通りへ出て、ここで反対の方角に別れた。

独りになると、コスモはあの奇異なる古い鏡のことを思い出した。もっとよく見たいという念が強くなって、彼は再びその店の方へ足をむけた。彼が扉を叩くと、主人は待っていたように扉をあけた。主人は痩せた小柄の老人で、鉤鼻の眼のひかった男で、そこらに何か落とし物はないかと休みなしにその眼をきょろつかせているような人物であった。コスモは他の品をひやかすようなふうをして、最後にかの鏡の前へ行って、それを下ろして見せてくれと言った。

「旦那。ご自分で取ってください。わたくしには手が届きませんから」と、老人は言った。

コスモは注意してその鏡をおろして見ると、彫刻は構図も技巧も共に優れていて、実に精巧でもあり、また高価の物でもあるらしく思われた。まだその上に、その彫刻にはコスモがまだ知らない幾多の技巧が施されていて、それが何かの意味ありげにも見えた。それが彼の趣味と性格の一面に合致しているので、彼は更にこの古い鏡に対して一段の興味を増した。こうなると、どうしてもこれを手に入れて、自分の暇をみてその縁の彫刻を研究したくなったのである。

しかし、彼はこの鏡を普通の日用にするような顔をして、これはずいぶん古いから長く使用にたえないだろうと言いながら、その面の塵を少しばかり拭いてみると、彼は非常に驚かされたのである。鏡の面はまばゆいほどに輝いていて、年を経たがために傷んでいる所もなく、すべての部分が製作者から新しく受け取ったと同様に、清らかに整っているのである。彼はまず主人にむかってその値いを訊いた。

老人は貧しいコスモがとても手を出せないような高値を吹いたので、彼は黙ってその鏡を元のところに置いた。

「お高うございましょうか」と、老人は言った。

「どうしてそんなに高いのか、理屈がわからないな」と、コスモは答えた。「わたしの考えとはよほどの距離があるよ」

老人は灯をあげて、コスモの顔を見た。

「旦那は人好きのするかただ」

コスモはこんなお世辞にこたえることのできない男である。彼はこのとき初めて老人の顔を間近に見たのであるが、それが男だか女だか分からないような、一種の忌な感じを受けた。

「あなたのお名前は……」と、老人は話しつづけた。

「コスモ・フォン・ウェルスタール」

「ああ、そうでしたか。なるほど、そういえばお父さんに肖ておいでなさる。若旦那、わたくしはあなたのお父さんをよく存じておりますよ。実をいうと、このわたくしの家の中にも、あなたのお父さんの紋章や符号のついた古い品がいくつもあります。そうでしたか。いや、わたくしはあなたが気に入った。それでは、どうです。言い値の四分の一で差し上げることにいたしましょう。但し、一つの条件付きで……」

それでもコスモにとっては重大の負担であったが、そのくらいならば都合が出来る。ことに途方もない高値を吹かれて、とても手がとどかないと思ったあとであるから、いっそうそれが欲しくなった。

「その条件というのは……」

「もしあなたがそれを手放したくなったらば、初めにわたくしが申し上げただけの金をわたくしにくださるように……」

「よろしい」と、コスモは微笑しながら付け加えた。「それはまったく穏当な条件だ」

「では、どうぞお間違いのないように……」と、売りぬしは念を押した。

「名誉にかけて、きっと間違いはないよ」と、買い手は言った。

これで売り買いは成り立ったのである。

コスモが鏡を手にとると、老人は、「お宅までわたくしがお届け申しましょう」と、言った。

「いや、いや、私が持って行くよ」と、コスモは言った。

彼は自分の住居を他人に見せることをひどく嫌っていた。ことにこんな奴、だんだんに嫌悪の情の加わってくるこんな人間に、自分の住居を見られるのは忌であった。

「では、ご随意に……」と、おやじは言った。

彼はコスモのために灯を見せて、店から送り出してしまうと、独りでつぶやいた。

「あの鏡を売るのも六度目だ。もう今度あたりでおしまいにしてもらいたいな。あの女ももうたいてい満足するだろうに……」

二

コスモは自分の獲物を注意して持ち帰った。その途中も、誰かそれを見付けはしないか、誰か後から尾けて来はしないかという懸念で、絶えず不安を感じていた。彼は幾たびか自分のまわりを見まわしたが、別に彼のうたがいをひくようなこともなかった。かりに彼の後を尾ける者があるとしても、いかに巧妙なる間者でもその正体を暴露するであろうと思われるほどに、町は非常に混雑して、町の灯は非常に明かるかった。

　コスモはつつがなく下宿に帰り着いて、買って来た鏡を壁にかけた。彼は体力の強い男であったが、それでも帰って来たときには、鏡の重さから逃がれて、初めて救われたように感じた。彼はまずパイプに火をつけて、寝台に体をなげ出して、すぐにまた、いつもの幻想にいだかれてしまった。

　次の日、かれは常よりも早く家へ帰って、長い部屋の片端にある炉の上の壁にかの鏡をかけた。それから丁寧に鏡のおもての塵を拭き去ると、鏡は日光にかがやく泉のように清くみえて、覆いをかけた下からも晃っていた。しかも彼の興味は、やはり鏡のふちの彫刻にあった。それを出来るだけ綺麗にブラッシュをかけて、その彫刻のいろいろの部分について製作者の意図が那辺にあったかを見いだすために、精密な研究を始めたが、それは不成功に終わった。後には退屈になって失望のうちにやめてしまった。そうして、鏡に映る部屋のなかをしばらくぼんやりと眺めていたが、やがて半ば叫ぶような声で言った。

「この鏡はふしぎな鏡だな。この鏡に映る影と、人間の想像とのあいだに何か不思議な関係がある。この部屋と、鏡に映っている部屋と、同じものでありながら、しかもだいぶ違っている。これは僕が現在住まっている部屋のありさまとは違って、僕の小説のなかで読んだ部屋のように見える。すべてありのままとは違っている。一切のものは事実のさかいを脱して芸術の境地に変わっている。普通ならば、ただ粗末な赤裸裸の物が、僕にはすべて興味あるものに見える。ちょうど舞台の上に一人の登場人物が出て来ただけで、もうこの退屈で堪えられない人生から逃がれて愉快になるようなものである。芸術というものは、疲れ切った日常の感覚から逃がれ、不安な日常の生活から離れて自然に帰り、また、われわれの住む世界から懸け離れた想像に訴えて、自然をある程度まであるがままに生かして、あたかも毎日なんの野心もなく、なんの恐れをも持たずに生活している子供の眼に、そのまわりをめぐる驚異の世界を示して、それに対してなんの疑いをも懐かしめないようにするがごときものではあるまいか。今のあの鏡のうちにうつる骸骨をみると、怖ろしい姿に見える。その骸骨はこの忙がしい世界を隔てて、さらに遠い世界をながめる望楼のように、見えない物をも見るかのごとく寂然として立っている。またその骨や、その関節は、僕自身の拳のように生けるがごとくに見える。……さらにまた、鏡のうちにうつる戦闘用の斧を見ろ。それはあたかも甲冑をつけた何者かがその斧を手に持って、力強い腕で相手の兜を打ち割り、頭蓋骨や脳を打ち砕き、他の迷える幽霊とともに未知の世界を侵略しているようにも見える。もし出来るものならば、僕はあの鏡のうちの部屋に住みたい」

　こんな囈語めいたことを言いながら、鏡のうちを見つめて起ちあがるや、彼は異常の驚きに打たれた。鏡にうつっている部屋の扉をあけて、音もなく、声もなく、全身に白い物をまとっている婦人の美しい姿があらわれたのである。婦人は憂わしげな、消ゆるがごとき足取りで、彼に背中をみせながら、しずかに部屋のはずれの寝台に行き、わびしげにそこへ腰をおろして、悩ましげな、悲しげな表情をその美しい眼に浮かべながら、無言の愛情をこめた顔をコスモの方へ振り向けた。

コスモはしばらく身動きもせずに、避けるに避けられぬその眼を彼女の上にそそいだ。動けば動かれるとは思いながら、さて振り返って、鏡のなかならぬ本当の部屋にむかって、まともに彼女を見るほどの勇気も出なかった。しかも最後に、思わずふっと寝台の方を見かえると、そこには何の影もなかった。驚きと怖れとが一つになって、再び鏡にむかうと、鏡のうちには依然として美女の姿が見えるのである。彼女は今や眼をとじて、その睫毛のあいだからは熱い涙をながしつつ、その胸に深い溜め息をつくばかりで、死せるがごとくに静かであった。

コスモは自分の心持ちを、自分で何とも言いあらわすことが出来ないくらいであった。彼はもう自覚を失って、ふたたび元へはかえらない人になってしまった。彼はもう鏡のそばに立っていられなくなった。それでも、貴女に対して失礼だとは心苦しく思いながら、また彼女が眼をあいて自分と眼を見合わせはしないかと恐れながら、なお、いつまでもじっと彼女を見つめていた。やがて彼は少しく気が楽になった。彼女はしずかに眼瞼をひらいたが、その眼にはもう涙が宿っていなかった。そうして、しばらくぼんやりしていたが、やがてまた、あたりの物を見ようとするかのように、部屋のうちを見まわしていたが、その眼はコスモの方へ向けられなかった。

鏡にうつっている部屋のうちには、彼女の眼を惹いた物はないらしかった。そうして、最後に彼を見るとしても、彼は鏡にむかっているのであるから、当然その背中しか見えないわけである。鏡のうちに現われている二人の姿――それは現在の部屋において彼がうしろ向きにならない限り、彼と彼女とが顔を見あわせることが出来ないのである。しかも彼がうしろを向けば、現在の部屋には彼女の姿は見いだせないのである。そうなると、鏡のうちの彼女からは、彼が空を見ているように眺められて、眼と眼がぴったりと出合わないために、かえって相互の心を強く接近させるかとも思われた。

彼女はだんだんに骸骨の上に眼を落とした。そうして、それを見るとにわかにふるえて眼をとじたように思われた。彼女は再び眼をひらかなかったが、その顔にはいつまでも嫌悪の色が残っていた。コスモはこの忌な物をすぐに取りのけようかと思ったが、それがために自分の存在を彼女に知らせたらば、あるいは彼女に不安を与えはしないかという懸念があったので、彼はそのままにして立ちながら彼女をながめていると、彼女の眼瞼は宝玉をおさめた貴い箱のように、その眼をつつんでいた。そのうちに、彼女の困惑の表情は次第に顔の上から消えていって、わずかに悲しみの表情を残しているばかりになった。その姿は動かないらしく、ただその呼吸するごとに規則正しいからだの動きを見るばかりになった。コスモは彼女の眠ったことを知った。

彼は今や何の遠慮もなしに彼女を見つめることが出来た。かれは質素な白い長い着物を着ている彼女の寝すがたを見た。その白い着物がいかにもよくその顔に値いして、いい調和をなしていた。しなやかなその足、おなじように優しい手、それらは彼女がすべての美をあらわして、その寝すがたは彼女の完全な肢体のくつろぎを見せていた。

コスモは飽きるほどそれを見つめていた。のちにはこの新しく発見した神殿のほとりに座を占めて、さながら病床に侍座（じざ）する人のように、機械的に書物を手にとった。書物をみても、心はそのページの上に集中しないのである。彼は今までの経験にまったく反対している目前の出来事にひどく驚かされているばかりで、その驚きは断定的、思索的、自覚的などということなしに、単なる受動的のものであった。しかし、そういうなかにもコスモの空想は彼一流の夢を送って、一種の陶酔に入っていた。

彼は自分でも分からないほど長く腰をかけていたが、やがて驚いて起（た）ちあがって総身（そうみ）をふるわせながら再び鏡をながめると、鏡のうちに女はもういなかった。鏡はただこの部屋をあるがままにうつすのみで、ほかには何物もみえなかった。それは中央の宝石を取り去られた金の象嵌のごとく、または夜の空にかがやく星の消えたるがごとくであった。彼女はその姿と共に、鏡のうちにうつっていた一切のめずらかなる物を持ち去って、鏡の外にある物となんの異ることもなくなってしまった。それを見て彼はいったん失望したが、彼女はきっと再び帰って来るに相違ない、たぶん、あしたの夜も同じ時刻に帰って来るという希望をいだいて自ら慰めていた。そうして、もし彼女が重ねて来たならば、かの骸骨をみせて忌な心持ちを起こさせないようにするばかりでなく、すべて彼女に不愉快をあたえそうな物は、鏡にうつらない部屋の隅にことごとく移して、出来るだけこの部屋のうちを取り片づけた。

三

コスモはその夜は眠られなかった。

彼は戸外の夜風に吹かれ、夜の空を仰いで心を慰めるために外出した。外から帰って、心はいくらか落ち着いたが、寝床に横になる気にはなれなかった。その寝台にはまだ彼女が横たわっているように思われて、自分がそこに寝ころぶのは、なんだか神聖を瀆すように感じられてならなかった。しかし、だんだんに疲労をおぼえて、着物を着かえもせずにそのまま寝台に横たわって、次の日の昼ごろまで寝てしまったのであった。

翌日の夕方、彼は息づまるほどに胸の動悸を感じながら、ひそかに希望をいだいて鏡の前に立ったのである。見るとまたもや鏡にうつる影は、たそがれの光りをあつめた紫色の霞を透して光っていた。すべてのものは彼と同じように、天来の喜びがあらわれてきて、この貧しい地上に光明を与えるのを待っているようであった。近くの寺院からゆうべの鐘がひびいてきて六時の時刻を示すと、ふたたび青白い美女は現われて来て、寝台の上に腰を掛けたのであった。

コスモはそれを見ると、嬉しさのあまり夢中になった。彼女が再び出て来たのである。彼女はあたりを見まわして、骸骨がいないのを見ると、かすかに満足のおももちを見せた。その憂わしい顔色はまだ残っていたが、ゆうべほどではない。彼女は更にまわりのものに気をつけて、部屋のそこやここにある変わった器具などを物めずらしそうに見ていたが、それにもやがて倦いたらしく、睡気に誘われたように寝入ってしまった。

今度こそは彼女の姿を見失うまいとコスモは決心して、その寝姿に眼を離さなかった。彼女の深い睡りを見つめていると、その睡りが心をとろかすように、彼女からコスモに移って来るように思われた。しかも彼女が起きあがって、眼をとじたままで無遊病者のような足どりで部屋から歩み去った時には、コスモも夢からさめたように驚いた。

コスモはもう譬えようのない嬉しさであった。たいていの人間は秘密な宝をかくし持っているものである。吝嗇(りんしょく)の人間は金をかくしている。骨董家(こっとうか)は指環を、学生は珍書を、詩人は気に入った住居を、恋びとは秘密のひきだしを、みなそれぞれに持っている。コスモは愛すべき女のうつる鏡を持っているのである。

コスモは骸骨がなくなったのち、彼女が周囲に置いてあるものに興味を持ち始めたのを知って、人生に対する新しい対象物を考えた。彼は鏡にうつっている無一物のこの一室を、どの婦人が見ても軽蔑しないように作り変えようと思った。そうするには部屋を装飾して、家具を備えればいいのである。たとい貧しいとはいえ、彼はこの考えを果たし得る手腕を持っていた。これまでは財産がないために身分相応の面目を保つことが出来ないのを愧(は)じて、その財産を作るために努めて細ぼそと暮らしてきていたのであるが、いっぽう彼は大学における剣術の達人であったので、剣術その他の練習の教授を申しいでて、自分の思惑を果たすほどの報酬を要求したのであった。その申しいでには学生たちも驚いた。しかし、また熱心にこれを迎える連中も多かったので、結局は熱心なプラーグの若い貴族たちの仲間ばかりでなく、金持の学生や、近在の人たちにもそれを教授することになった。それがために彼は間もなくたくさんの金を得たのである。

彼はまず器具類や風変わりの置物を、部屋の押入れの中にしまい込んだ。それから彼の寝台その他の必要品を煖炉(だんろ)の両側に置いて、そこと他とを仕切るために、印度の織物で二つのスクリーンを張った。それから今まで自分の寝台のあった隅の方に、彼女のために優美な新しい寝台を備えた。そんなふうに贅沢な品物が日ごとにふえて、後には立派な婦人室が出来たのであった。

毎夜、同じ時刻に女はこの部屋にはいって来た。彼女は初めてこの新しい寝台を見たとき、なかば微笑を浮かべて驚いたらしかった。それでもその顔色はまただんだんに悲しみの色になり、眼には涙を宿して、のちには寝台の上に身を投げ出して絹（シルク）のクッションに身を隠すように俯伏（うつぶ）した。

彼女は部屋の中のものが増したり、変わったりするたびにそれに気がついて、それを喜んでいた。それでもやはり絶えず何か思い悩んでいるのであったが、ある夜ついに次のようなことが起こった。いつものように彼女が寝台に腰をおろすと、コスモがいま壁に飾ったばかりの絵画に彼女は目をつけたのである。コスモにとって嬉しかったのは、彼女は起（た）ちあがって絵画の方に進みよって、注意ぶかくそれを眺め、いかにも嬉しそうな顔色を表わしたことであった。しかもそれがまた悲しい、涙ぐんだような表情に変わって、寝台の枕に俯伏してしまったかと思うと、またその顔色もだんだんに鎮まって、思い悩んでいる様子も消えていって、さらに平静な、希望ある表情が浮かんできたのであった。

この間に、コスモはどうであったかというに、彼の性情から誰しも考え得られるるように、恋の心を起こしたのであった。恋、それは充分に熟してきた恋である。しかも悲しいことには、彼は影に恋しているのである。近づくことも、言葉を伝えることも出来ない。彼女の美しい口唇から言葉をきくことも出来ない。ただ蜜蜂が蜜壺を見るがごとくに、彼は眼で彼女を求めているばかりである。彼は絶えず独りで歌っていた。

われは死なむ処女の愛に……

コスモは愛慕の情に胸を破らるるばかりであったが、さすがに死ぬことはできなかった。彼女のために心尽くしをすればするほど、彼女への恋は弥増してゆくばかりであった。たとい彼女がコスモに近づくことがないにしても、見知らぬ人間が彼女のために生命を捧ぐるまでに恋いこがれているということを、彼女が喜んでくれればそれでいいと望んでいた。コスモは自分と彼女とが今はこうして離れているが、いつかは彼女が自分を見て何かの合図をしてくれるものと思って、ひそかに自分を慰めていた。なぜといえば、「すべて恋する人の心は相手に通ずるものである」また、「実際、どれだけの愛人たちが、この鏡のうちと同じように、ただ見るばかりでそれ以上近づき得られないでいるか。知っているようで、また知っていないようで、相手の心に触れるひまもなく、ただこの宇宙のような漠然とした心持ちだけで何年もの間をさまよいあるいているか」また、「自分がもし彼女と語ることが出来さえすれば、彼女が自分の言うことを聴いてさえくれれば、それだけで自分は満足する」――コスモはそう思ったりした。あるときは、彼は壁に絵をかいて、自分の思いを伝えようかと思ったが、いざやって見ると、絵の上手な割りには手がふるえて描けなかった。彼はそれもやめてしまったのであった。

　生けるものは死し、死するものまた生く。

　ある夜のことであった。コスモは自分の宝である彼女を見つめていると、彼女はコスモの熱情ある眼が自分に注がれていることを知ったらしい自覚の顔色をほのかに現わしたのを見たのであった。彼女もしまいには、首から頬、額にかけて赤く染めたので、コスモはもう傍(そば)に寄りつきたい心持ちで夢中になっていた。その夜、彼女はダイヤモンドの輝いている夜会服を着ていた。それは格別彼女の美しさを増してはいなかったが、また別な美しさを見せていた。彼女の美しさは無限であって、こうして違った新しい身装(みなり)になると、さらに別な愛らしさを示していた。すべて自然の心は、自然の美しさを見せるために限りなくさまざまな形をあらわし、この世に出て来るすべての美しき人びとは、同じ心臓の鼓動を持っていても、二人とは同じ顔の持ち主はいないのである。個人については猶更(なおさら)のこと、身の廻りのものを限りなく変えて、あらゆる美しさを見せなければならないのである。

　ダイヤモンドは彼女の髪の中から、暗い夜の雨雲のあいだから星が光るように、なかばその光りをかくしながら光っていた。彼女の腕環は、彼女が雪のような白い手でほてった顔をかくすたびに、虹の持つようなさまざまの色を輝かしていた。しかも彼女の美しさにくらべれば、これらの装飾は何ものでもなかった。

「一度でもいいから、もし彼女の片足にでも接吻（キッス）することが出来たら、僕は満足するのだが……」

コスモはそう思った。ああ、しかし、その熱情も報（むく）われないのである。彼女が美しい魔鏡の世界からこの世に出てくる二つの道があるのであるが、彼はそれを知らないのであった。たちまちある悲しみが外から湧いてきた。初めはただの歎（なげ）きであったが、のちにはそれが悩みを起こして、彼の心に深く喰い入った。

「彼女はどこかに愛人がある。その愛人の言葉を思い出して彼女は顔を染めたに相違ない。彼女は僕の所から離れると、夜昼いつでも別の世界に生きている。僕の姿は彼女にはわからない。それでいながら、彼女はどうしてここへ来て、僕のような強い男が彼女をこれ以上に見あげることが出来ないくらいに恋ごころを起こさせるのだろう」

コスモは再び彼女のほうをみると、彼女は百合（リリー）のような青白い顔色をして、悲しみの色が休みなき宝石の光りを妨げているように見えていた。その眼にはまたもや静かな涙がにじんでいた。その夜の彼女はいつもより早く部屋を立ち去ったので、コスモは独り取り残されて、胸のうちが急に空虚になり、全世界はその地殻を破られたように思われた。

次の夜（彼女がこの部屋に来はじめてから最初のことである）彼女はこなかった。

コスモはもう破滅の状態にあった。彼女との恋について、自分の敵があるという考えが浮かんでからは、一瞬時も心を落ちつけていることは出来なかった。今までよりいや増して、彼は彼女に眼のあたり逢いたく思った。彼は自分に言い聞かせた。もし、自分の恋が失敗であるならばそれでいい。その時はもうこのプラーグの町を去るだけである。そうして、何かの仕事に絶えず働いて、いっさいの苦を忘れたい。それがすべて悲しみを受けた者のゆくべき道である。

そう思いながらも、彼は次の夜も言いがたい焦燥の胸をいだいて、彼女のくるのを待っていた。しかし、彼女はこなかった。

四

今はコスモも煩う人となった。その恋に破れた顔色を見て、仲間の学生たちがからかうので、彼はついに教授に出ることをやめて、契約もまた破れてしまった。彼はもう何もいらないと思った。偉大なる太陽の輝いている空も――心のない、ただ燃えている砂漠であった。町を歩いている男も女も、ただあやつりの人形を見るようで、なんの興味もなかった。彼にとってすべてのものは、ただ写真のすりガラスにうつる絶えざる現象の変化としか見えなかった。ただ彼女のみがコスモの宇宙であり、その生命であり、人間としての幸福であったのである。

　六日もつづいて彼女は出てこなかった。コスモは疾うに決心して、その決心を実行するはずであったが、彼はただ熱情に捉えられて頭を悩み苦しめていたのである。彼は理論的に考えた。彼女の姿が鏡のうちにうつるというのは、鏡に何かの魔力が結びつけられているに相違ない。そこで彼は、今までこういう怪奇なことに関して研究したものについて、あらためて考え直すことに決心した。彼は独りで言った。

「もし、悪魔が彼女を鏡のうちに現出させることが出来るならば、自分が知っている悪魔の話のように、鏡のうちに彼女をうつしたばかりでなく、さらに生きた姿のままを直接に自分の前に現出させてみせそうなものだ。もしも彼女が自分の前に現出して、僕が彼女に対して何か悪いことをしたとしても、それは愛がさせる業だ。僕は彼女の口から、ほんとうのことさえ聞けばいいのだ」

　コスモは、彼女はこの地上の女に違いはない。地上の女が何かの理由でその影をこの魔鏡のなかにうつしているに相違ないと信じていた。

　彼は秘密の抽斗をあけて、その中から魔術の書物を取り出し、ランプをつけて、夜半から朝の三時まで三日もつづいて読み通して、それをノートに書きつけた。それから彼は書物をしまい込んで、次の晩には魔法に必要な材料を買うために町へ出かけたが、彼の求めているものを得るには容易でなかった。なぜといえば、この種の惚れ薬を作ったり、神おろしめいたことをするについて、必要なる合い薬が書物にも完全にしるされていない。またその分量も、自分の痛切なる要求を満たすにとどめておくという限度がなかなかむずかしいからであった。それでも遂に彼は自分の望むすべてのものを求めることができた。彼女が鏡のうちに出て来なくなってから七日目の夕方に、彼は無法な、暴君的な力をかりるべき準備を整えたのである。

　彼はまず部屋の中央にあるものを取りのけてしまった。それから身をまげて自分の立っている周囲に丸い赤い線を引いた。そうして、四隅に不思議な記号(しるし)をつけ、七と九に関する数字をつけて、その輪のどの部分にも少しの相違もないように、注意ぶかく検(しら)べてから起(た)ちあがった。

　彼が起つと、教会の鐘は七時を打った。それと同時に、彼女もあたかも初めて現われてきたときのように、気の進まないような緩(ゆる)い歩調で、出てきたのである。コスモはふるえた。そうして、鏡から離れて振り返って見ると、彼女は疲れたような蒼ざめた顔をして、何か病気か、心配でもありそうな風情(ふぜい)である。コスモは倒れそうになって、とても前へは進めなかった。それでもじっと彼女の顔と姿を見つめていると、すべての喜びや悲しみを離れて、ただ胸がいっぱいになって、彼女と語りたい、自分の言うことを彼女が聞いてくれるか、ひと言でいいから返事を聴きたい。彼はもうたまらなくなって、かねて準備した仕事にあわてて取りかかったのである。

線を引いた場所から注意ぶかく歩いて、線の中央に小さい火鉢を置き、そのなかの炭に火をつけて、それが燃えている間、彼は窓をあけて火鉢のそばに腰をおろしていたのであった。それは蒸し暑い夕方で、絶えず雷鳴がとどろいて、大空が重苦しいように下界の空気をおしつけている日であった。なんとなく紫色をした空気がただよっていて、町の煙霧もそれを吹き消すことが出来ないような、遠い郊外の匂いが窓から吹いて来た。間もなく炭がさかんにおこってくると、コスモはその上に、香その他の材料を混合したものを撒いた。それから描いた線のなかに歩み寄って、火鉢の所から振り向いて鏡のなかの女の頭を見つめながら、強い魔法の呪文をふるえる声でくりかえした。

それがあまりに長く続かないうちに、彼女は顔を蒼くしたが、波が打ち返すように今度は顔をあからめて、手をもって顔をかくした。彼は魔法をさらに強くつづけた。彼女は起って、室内を不安そうにあちらこちら歩きながら、何か腰をおろすものが欲しいように見まわしていた。とうとう、彼女は突然に見つけたようであった。彼女は眼を大きくいっぱいに見ひらいて彼を見つめていたが、なんだか気が進まないようなふうに身を引いて、鏡の近くに寄って行った。

コスモの眼が彼女に一種の魅力を与えたようであった。コスモは今までこんなに間近く彼女を見たことはなかった。眼と眼とが合うほどまでに近づいたが、それでも彼女の表情は分からなかった。その表情は優しい哀願をこめているものであったが、その以上の、言葉に尽くせない何物かがあった。彼は胸の思いが喉のところまで込み上げて来たが、なにぶんにもまだ魔法を続けていて、その歓喜も焦燥も表にあらわすわけにはゆかなかった。

彼女の顔に見入っていると、コスモは今までにない魅惑を感じた。突然に彼女はうつっている部屋のうちから扉の外へ歩いていったかと思うと、次の瞬間に彼女は、コスモの部屋に（鏡のうちではない）まことの姿になってはいって来た。

彼はいっさいの注意を忘れて、そこから飛びあがって彼女の前にひざまずいた。今こそ彼が熱情の夢に描いていた彼女が、生きた姿で雷鳴のたそがれに、魔術の火の輝きのなかにただひとり、彼のかたわらに立っているのである。

「どうしてあなたは、この雨のふっている町を通って、私のような哀れな女を連れて来たのです」と、彼女はふるえる声で言った。

「あなたを恋しているからです。私はあなたを鏡のうちから呼び出しただけです」

「ああ、あの鏡！」と、彼女は鏡を見上げて身をふるわせた。「ああ、わたしはあの鏡のある間は一種の奴隷に過ぎないのです。私がここに参ったのは、あなたの魔術の力だとお思いになってはいけません。あなたが私に逢いたがっていらっしゃることが、私の心を打ったのです。それが私をここへ来させたのです」

「では、あなたは私を愛してくださるのですか」

コスモは死のように静かな、しかし感情に激してよくは分からないような声で言った。

「それは分かりません。私がこの魔法の鏡のために苦しんでいるあいだは何とも申されません。それでもあなたの胸にいだかれて、死ぬまで泣くことが出来たら、どんなに嬉しいかしれません。あなたが私を愛していてくださることは知っております。いえ、それも分からないのですけれど……。それでも……」

ひざまずいていたコスモは起ち上がった。

「わたしはあなたを愛しています。どうしてだか、前から愛しています。そのほかにはなんにも考えておりません」

彼は彼女の手を握ると、彼女は手を引いた。

「いけません。わたしはあなたの手のうちにあるのです。それですからいけません……」

今度は彼女がコスモの前にひざまずいて泣き出した。

「もしあなたが私を愛してくださるならば、わたしを自由の身にして下さい。あなたからも自由にしてください。この鏡を毀してください」

「そうしてからも、あなたに逢うことが出来ますか」

「それは言えません。あなたをおだまし申しませんけれど……。もう二度とお目にかからないかもしれません」

するどい驚きがコスモの胸に起こった。いま彼女は彼の手中にある。彼女はコスモを嫌ってもいない。そうして、逢いたい時はいつでも逢えるのであるが、鏡を毀すということは、彼の真実の生活を破壊することにもなり、彼の宇宙からただひとつの光明を追放することにもなるのである。愛の楽園を見ることの出来るこの一つの窓を失ってしまえば、全世界は彼にとって牢獄に過ぎない。愛に対して不純のようではあるが、彼はその実行をためらったのであった。

彼女は悲しみながら起ちあがった。

「ああ、あの人は私を愛してはくださらない。私は感じているのに、あの人は愛してくださらない。私はもう自由になれなくともいいから、あの人を愛します」

「もう待ってはいられない」

コスモはこう叫んで、大きな剣の立っている部屋の隅に飛んでいった。

もう暗くなっていた。部屋のうちには燃えさしの火が赤く輝いていた。彼は剣の鞘を手に持って鏡の前に立ったのである。彼が剣の柄がしらで鏡に一撃をあたえると、刀身は鞘から半分ほど抜け出して、柄がしらは鏡の上の壁を打った。このとき怖ろしい雷鳴が部屋のなかに発して、コスモは二度と鏡を打つことが出来ずに、無意識のままで炉のほとりに倒れてしまった。

五

コスモが意識をとりかえした時には、女も鏡も失せていた。彼はその以来頭痛を覚えて、数週間のあいだは寝台に横たわっていた。

彼は理性を回復すると、鏡の行くえについて考え始めた。彼女については、今までの通りに帰ってくれることを望んでいたが、彼女の運命は鏡のうちに含まれていて、鏡と運命を倶にしているのである。彼はそれについて更に焦燥を感じた。彼としては、彼女が鏡を持ち去ったとは思われなかった。それが壁にしっかりと取りつけてなかったとはいえ、それを持ち運ぶべく彼女にはあまり重いのである。彼はまたそのときの雷鳴について考えた。彼を打ち倒したものは、雷電ではない、何か他の物であるかのように断定した。何か彼に復讐を企てた悪魔が、自己の安全を図るために、神変不思議の魔力をもってなしたのではあるまいか。それともまた、何か他の方法で彼の鏡が前の持ちぬしのところへ戻ったのではあるまいか。そうして恐るべきことは、またもや他の男に彼女を渡すのではあるまいか。その男は、コスモ以上の魔法の力を所有していて、あのときにためらって鏡を砕き得なかった彼の利己的な不決断を呪うような、種じゅの事故を作りはしないであろうか。実際、それらのことを考えて、わが愛する者のために、また自分に自由を求めた女のために、さまざまに心を砕くのは、鏡の持ちぬしたるコスモとしてはある程度までは当然のことである。こうして、コスモの絶えざる観察の上に浮かんでくるすべてのものは、悩める恋びとの心を狂わすにじゅうぶんであった。

彼は自分のからだの回復を待っていられずに、とうとう外出するようになった。彼はまず、かの古道具屋の老人のところへ、何か他のものを求めにきたような顔をして出かけたのである。鏡のことについてよく知っているおやじの奴めが嘲笑的な顔をしているのが、コスモにも覚さとられた。しかもコスモは、そこにある家具や器物のうちに鏡を見いだすことはもちろん、またその鏡がどうなっているかを知ることもできなかった。

老人はその鏡が盗まれたということを聞いて、極度に驚いた。しかもその驚きはいつわりで、内心は平気であるらしいことをコスモは認めた。彼は悲しみを胸いっぱいにいだきながら、それをできるだけ押し隠して、そこらをいろいろに捜してみたが、ついに無効に終わったのであった。

彼は他人に対して別に何事も訊こうとはしなかったが、それでも捜索の端緒になるような暗示があらば、どんなことでも聞き逃がすまいと、常に聴き耳を立てていた。外出の節は、まんいち運よくかの鏡にひと目でも出逢う時があったらば、その時すぐに打ち割るために、いつも身には短い重い鉄鎚をつけていた。彼にとっては、彼女に逢うことはもはや第二の問題であった。ただ彼女の自由さえ得ることが出来ればそれでいいと思っていた。彼は蒼ざめた幽霊のように窶れ果てて、自分の失策のために彼女がどんなに苦しみ悩んでいるかと心を傷め尽くして、所所方方をさまよい歩いていた。

ある晩、町でも最も宏壮なる別邸の一つとして知らるる家の集会に、コスモもまじっていた。彼は貧しいながらも、何か自分の捜索を早める端緒を見いだしはしまいかと思って、すべての招待に応じて、その機会を失わないように努めていたのであった。この席上でも彼は何か探り出すことはないかと、洩れきこえる諸人の談話をいちいち聞き逃がさないようにうろつき廻っていた。そうして、会場の片隅で静かに話している婦人の群れに近づくと、ひとりの婦人は他の婦人にこんなことを話しているのが聞こえた。

「あなたはあのホーヘンワイス家のお姫さまが、不思議なご病気でいらっしゃるのをご存じでございますか」

「はい、あのおかたはもう一年あまりもお悪いのでございます。あんなお美しいおかたが、そんな怖いお患いをなすっていらっしゃるのは、お気の毒でございますね。つい二、三週間のあいだはたいそうよろしかったようでしたが、またこの二、三日以来お悪いそうで、以前よりもたしかにひどくおなりなすったといいますが、よほどわからない謂れがあるのでございましょうね」

「何かご病気に謂れがおありになるのでございますか」

「わたくしもよくは伺っておりませんけれど、こんな話でございます。一年半ほど前にお姫さまが、お屋敷で何か大事なご用を仰せつかっている老女を、お叱りになったことがあるのだそうでございます。そうすると、その老女は何か辻褄の合わない嚇し文句を残して、そのまま いなくなってしまいました。それから間もなくご病気が起こったのだそうで……。そうして、おかしいことには、お姫さまの化粧室に置いてあって、いつもお使いになる古代の鏡が同時に失くなっていたのだそうでございます」

それから婦人たちの話は小さいささやきになったので、コスモはしきりにそれを聞きたいと思っても、もうその以上を知ることは出来なかった。この場合、コスモはかの婦人たちの好奇心のなかに飛び込んで、一緒に話したらよかったかもしれなかったが、彼は驚きのあまりにそれをなし得なかったのである。ホーヘンワイス家の姫の名はコスモもかねて知っていたが、まだその人を見たことはなかった。姫が鏡の中から抜け出した彼女でない限り、コスモは見たことのない婦人であって、かの怖ろしい夜に自分の前にひざまずいた人であるかどうかを、彼は疑わざるを得なかった。彼はなにぶんにも体が弱っているので、今聞いたことのためにひどく心を労して、もうそこに落ち着いてはいられなくなった。彼は表へ出て、自分の下宿にたどりついた。

姫に近づき得るなどということは夢にも思えないことながら、その住居がわかったことは少なくも彼にとっては喜びである。また、憎むべき監禁状態から彼女を自由にすることが出来たらば、どんなに幸福であろうと思うだけでも、彼には大いなる喜びであった。彼は思いもよらずこれだけのことを知ったように、これからもまた、どんな思いがけないことが近いうちに起こってくるであろうかと待ち望んでいたのであった。

「君は最近にスタインワルドに逢ったかい」

「いや、しばらく逢わないね。あいつは剣闘で僕のいい相手なんだが……。あれが古道具屋から出て来た時に会ったぎりのように思うよ。それ、君と一緒に甲冑（かっちゅう）を見にいったことがあるだろう。あの店だよ。それはまる三週間まえだ」

この話でコスモはヒントを得たのであった。フォン・スタインワルドと言えば、向う見ずの烈（はげ）しい性情の所有者で、大学でもみんなが怖れている男である。さてはあの男が鏡を持っているに違いないと思ったが、コスモにとっては苦手であった。この場合、乱暴な急激手段はいずれにしても成功しそうもない。コスモが望んでいるのは、ただ、かの鏡を打ち割る機会さえ捉え得ればいいのである。それには時を待つよりほかはない。彼は心のうちにいろいろの手段方法をめぐらしてみたが、どれもまとまらなかった。

とうとうその機会が来た。ある夕方、スタインワルドの家の前をとおると、いくつかの窓にめずらしく賑やかに灯がついているのを見た。しばらく気をつけて見ていると、何かの集まりのために、だんだんに人が入り込んでゆくので、コスモは急いで下宿に帰って、できるだけ贅沢な服装をして、自分も他の客にまじってその家の中へ無事に入り込むことを考えた。それには、コスモはその風采からいっても申し分はないのであった。

この町の別な処にある高楼の静かな一室に、生きているとは思われない、大理石のような姿をした一人の女が横たわっていた。口を硬くとじ、眼瞼をたたんでいて、その顔には美しい死が彼女を凍らせているかと思われた。その手は胸の上に置かれているが、呼吸もないようである。この死人のそばには、二、三の人が控えていて、人間の声がまだ生き残っているものを破るのを恐るるごとくに、小さくささやいていた。死人の霊魂は人間のすべての感覚がとどき得ない高い所にあるにもかかわらず、女のそばには二人の婦人が、悲しみを押さえるような極めて静かな声で話していた。

「このかたはもう一時間以上もこうしていられます」

「もう長いことはないかと存じます」

「この数週間のあいだに、どうしてこうもお痩せになったのでございましょう。このかたが何かお話しくだすって、なにを苦しんでいらっしゃるのかおっしゃってさえくだされば よろしいのですが、お目ざめになっていましても、どうしてもおっしゃらないのでございます」

「昏睡状態になって、なにもおっしゃりませんでしたか」

「何もお聞き申さないのでございます。それでも、このおかたが時どきお歩きになって、ある時などは一時間のあいだもお見えにならなくなったことがあって、お屋敷じゅうの人たちがびっくりなすったそうでございます。その時、このおかたは雨にお濡れになってお疲れと恐れのために死んだようになっていらしったそうで……。その時でさえも、どんなことが起こったのか、なにもおっしゃらなかったそうでございます」

この時、そばについている人たちは、動かない死人の女の口から聞こえるか聞こえないかの弱い声をきいてびっくりした。つづいて何かしきりにわけの分からないような言葉が出たかと思うと、そのうちに、「コスモ」という言葉が彼女の口から出た。それからしばらくの間、またそのままに眠っていたが、突然大きい叫び声を立てて、寝台の上に飛びあがって、両手を強く握りしめて頭の上にあげ、その眼を大きく輝かして、墓場から抜け出してきた幽霊のように狂喜の叫び声をあげた。

「私はもう自由です。わたしは自由です。あなたにお礼を言います！」

彼女は寝台の上に身を投げ出して泣いた。それからまた起ちあがったかと思うと、烈しく部屋のうちをあちらこちら歩きまわって、何か嬉しいような呆れている様子であったが、やがて呆気にとられている附き添いの者を見返って言った。

「早く、リザ。わたしの外套と頭巾を持ってきておくれ」

彼女はまた低い声で言った。

「早くしておくれ、あのかたの処へゆかなければならないから。ゆくなら一緒においでなさい」

間もなく二人は町へ出て、モルドーに架けられた橋にむかって急いだ。月は中空にさえて、町には人の通りもなかった。姫はすぐに侍女のさきへ駈け抜けて、侍女が橋のたもとまで来たときに、彼女はもう橋の中ほどまで渡っていた。

「あなたは自由におなりになりましたか。鏡はこわしました。自由におなりでしたか」

姫が急いで行く時、彼女のそばでこういう声がきこえたのであった。姫は振り向いて見ると、橋の隅の欄干によりかかって、立派な服装をしていながら、白い顔をして顫えているコスモが立っていた。

「おお、コスモ。わたしは自由になりました。私はいつまでもあなたのものです。私はあなたの処へゆく途中だったのです」

「私もあなたのところへ行く途中でした。死がこれだけのことをさせたのです。私はこの以上どうにも出来なかったのです。私は報われたのでしょうか。私は少しでもあなたを愛することが出来るでしょうか……。ほんとうに……」

「あなたが私を愛していらっしゃることは、わたしにもよく分かりました。それにしても、どうして〈死〉などということをおっしゃるのです」

その答えは聞かれなかった。コスモは手で横腹を強く抑えていたが、姫はそれをよく見ると、抑えている彼の指のあいだからおびただしい血がほとばしっていた。彼女は悼ましさと悲しさが胸いっぱいになって、両手で彼をいだいた。

侍女のリザが駈けつけて来たとき、姫は蒼白い死人の顔の前にひざまずいていた。その死人の顔は妖魔のごとき月光のもとに微笑を浮かべて——

幽霊の移転

ストックトン

ストックトン　Francis Richard Stockton
米国の小説家。一八三四年四月五日、フィラデルフィアに生まる。最初は彫刻家、後に小説家となり、多数の童話と滑稽小説を著わせり。一九〇二年四月十九日逝く。

ジョン・ヒンクマン氏の田園住宅は、いろいろの理由から僕にとっては甚だ愉快な場所で、やや無遠慮ではあるが、まことに居心地のよい接待ぶりの寓居であった。庭には綺麗に刈り込んだ芝原と、塔のように突っ立った槲や楡の木があって、ほかにも所どころに木立ちが茂っていた。家から遠くないところに小さい流れがあって、そこには皮付きの粗末な橋が架けてあった。

ここらには花もあれば果物もあり、愉快な人たちも住んでいて、将棋、玉突き、騎馬、散歩、魚釣りなどの遊戯機関もそなわっていた。それらはもちろん、大いに人を惹くの力はあったが、単にそれだけのことでは、そこに長居をする気にはなれない。僕は鱒の捕れる時節に招待されたのであるが、まず初夏の時節をよしとして訪問したのである。草は乾いて、日光はさのみ暑からず、そよそよと風が吹く。その時、わがマデライン嬢とともに、枝の茂った楡の下蔭をそぞろに歩み、木立のあいだをしずかに縫ってゆくのであった。

僕はわがマデライン嬢といったが、実のところ、彼女はまだ僕のものではないのである。彼女はその身を僕に捧げたというわけでもなく、僕のほうからもまだなんとも言い出したのではなかったが、自分が今後この世に生きながらえてゆくには、どうしても彼女をわがものにしなければならないと考えているので、自分の腹のうちだけでは、彼女をわがマデラインと呼んでいるのであった。自分の考えていることを早く彼女の前に告白してしまえば、こんな独りぎめなどをしている必要はないのであるが、さてそれが非常にむずかしい事件であった。

それはすべての恋する人が恐れるように、およそ恋愛の成るか成らぬかの間にまた楽しい時代があるのであるから、にわかにそれを突破して終末に近づき、わが愛情の目的物との交通または結合を手早く片付けてしまうのを恐れるばかりでなく、僕は主人のジョン・ヒンクマン氏を大いに恐れているがためであった。かの紳士は僕のよい友達ではあるが、彼にたいしておまえの姪(めい)をくれと言い出すのは、僕以上の大胆な男でなければ出来ないことであった。彼女は主としてこの家内いっさいのことを切り廻している上に、ヒンクマン氏がしばしば語るところによれば、氏は彼女を晩年の杖はしらとも頼んでいるのであった。この問題について、マデライン嬢が承諾をあたえる見込みがあるなら断然それを切り出すだけの勇気を生じたでもあろうが、前にもいう通りの次第で、僕は一度も彼女にそれを打ち明けたことはなく、ただそれについて、昼も夜も――ことに夜は絶えず思い明かしているだけのことであった。

ある夜、僕は自分の寝室にあてられた広びろしい一室の、大きいベッドの上に身を横たえながら、まだ眠りもやらずにいると、この室内の一部へ映し込んできた新しい月のぼんやりした光りによって、主人のヒンクマン氏がドアに近い大きい椅子に沿うて立っているのを見た。

僕は非常に驚いたのである。それには二つの理由がある。第一、主人はいまだかつて僕の部屋へ来たことはないのである。第二、彼はけさ外出して、幾日間は帰宅しないはずである。それがために、僕は今夜マデライン嬢とあいたずさえて、月を見ながら廊下に久しく出ていることが出来たのであった。今ここにあらわれた人の姿は、いつもの着物を着ているヒンクマン氏に相違なかったが、ただその姿のなんとなく朦朧たるところがたしかに幽霊であることを思わせた。

善良なる老人は途中で殺されたのであろうか。そうして、彼の魂魄がその事実を僕に告げんとして帰ったのであろうか。さらにまた、彼の愛する――の保護を僕に頼みに来たのであろうか。こう考えると、僕の胸はにわかにおどった。

その瞬間に、かの幽霊のようなものは話しかけた。

「あなたはヒンクマン氏が今夜帰るかどうだか、ご承知ですか」

彼は心配そうな様子である。この場合、うわべに落ち着きを見せなければならないと思いながら、僕は答えた。

「帰りますまい」

「やれ、ありがたい」と、彼は自分の立っていたところの椅子に倚りながら言った。「この家に二年半も住んでいるあいだ、あの人はひと晩も家をあけたことはなかったのです。これで私がどんなに助かるか、あなたにはとても想像がつきますまいよ」

こう言いながら、彼は足をのばして背中を椅子へ寄せかけた。その姿かたちは以前よりも濃くなって、着物の色もはっきりと浮かんできて、心配そうであった彼の容貌も救われたように満足の色をみせた。

「二年半……」と、僕は叫んだ。「君の言うことは分からないな」

「わたしがここへ来てから、たしかにそれほどの長さになるのです」と、幽霊は言った。「なにしろ私のは普通の場合と違うのですからな。それについて少しお断わりをする前に、もう一度おたずね申しておきたいのはヒンクマン氏のことですが、あの人は今夜たしかに帰りませんか」

「僕の言うことになんでも嘘はない」と、僕は答えた。「ヒンクマン氏はきょう、二百マイルも遠いブリストルへいったのだ」

「では、続けてお話をしましょう」と、幽霊は言った。「わたしは自分の話を聴いてくれる人を見つけたのが何より嬉しいのです。しかしヒンクマン氏がここへはいって来て、わたしを取っつかまえるということになると、わたしは驚いて途方に暮れてしまうのです」

そんな話を聞かされて、僕はひどく面喰らってしまった。

「すべてが非常におかしな話だな。いったい、君はヒンクマン氏の幽霊かね」

これは大胆な質問であったが、僕の心のうちには恐怖などをいだくような余地がないほどに、他の感情がいっぱいに満ちていたのであった。

「そうです。わたしはヒンクマン氏の幽霊です」と、相手は答えた。「しかし私にはその権利がないのです。そこで、わたしは常に不安をいだき、またあの人を恐れているのです。それはまったく前例のないような不思議な話で……。今から二年半以前に、ジョン・ヒンクマンという人は、大病に罹かってこの部屋に寝ていたのですが、一時は気が遠くなって、もう本当に死んだのだろうと思われたのです。その報告があまり軽率であったために、彼はすでに死んだものと認められて、わたしがその幽霊になることに決められたのです。さていよいよその幽霊となった時、あの老人は息を吹きかえして、それからだんだんに回復して、不思議に元のからだになったと分かったので、その時のわたしの驚きと怖れはどんなであったか。まあ、察してください。そうなると、私の立場は非常に入り組んだ困難なものになりました。ふたたび元の無形体に立ちかえる力もなく、さりとて生きている人の幽霊になり済ます権利もないというわけです。わたしの友達は、まあそのままに我慢していろ、ヒンクマン氏も老人のことであるから長いことはあるまい。彼が今度死ねば、おまえの地位を確保することが出来るのだから、それまで待っていろと忠告してくれたのですが……」と、かれはだんだんに元気づいて話しつづけた。

「どうです、あの爺さん。今までよりも更に達者になってしまって、私のこの困難な状態がいつまで続くことやら見当がつかなくなりました。わたしは彼と出逢わないように、一日じゅう逃げ廻っているのですが、さりとてここの家を立ち去るわけにはいかず、また、あの老人がどこへでも私のあとをつけて来るように思われるので、実に困ります。まったく私はあの老人に祟られているのですな」

「なるほど、それは奇妙な状態に立ちいたったものだな」と、僕は言った。「しかし、君はなぜヒンクマン氏を恐れるのかね。あの人が君に危害を加えるということもあるまいが……」

「もちろん、危害を加えるというわけではありません」と、幽霊は言った。「しかし、あの人の実在するということが、わたしにとっては衝動(ショック)でもあり、恐怖(テロル)でもあるのです。あなたがもし私の場合であったらばどう感じられますか。まあ、想像してごらんなさい」

　僕には所詮(しょせん)そんなことの想像のできるはずはなく、ただ身ぶるいするばかりであった。幽霊はまた言いつづけた。

「もし私が質(たち)のわるい幽霊であったらば、ヒンクマン氏より他の人の幽霊になったほうが、さらに愉快であると思うでしょう。あの老人は怒りっぽい人で、すこぶる巧妙な罵詈雑言(ばりぞうごん)を並べ立てる……あんな人にはこれまでめったに出逢ったことがありません。そこで、彼がわたしを見つけて、わたしがなぜここにいるか、また幾年ここにいるかということを発見したら……いや、きっと発見するに相違ありません……そこにどんな事件が出来(しゅったい)するか、わたしにもほとんど見当がつかないくらいです。わたしは彼の怒ったのを見たことがあります。なるほど、その人たちに対して危害を加えはしませんでしたが、その風雨(あらし)のすさまじいことは大変で、相手の者はみな彼の前に縮みあがってしまいました」

　それがすべて事実であることは、僕も承知していた。ヒンクマン氏にこの癖がなければ、僕も彼の姪について進んで交渉することが出来るのであった。こう思うと、僕はこの不幸なる幽霊にむかって本当の同情を持つようにもなって来た。

「君は気の毒だ。君の立場はまったく困難だ。ひとりの人間が二人になったという話を僕も思い出した。そうして、彼が自分と同じ人間を見つけた時には、定めて非常に憤激するだろうということも想像されるよ」

「いや、それとこれとはまるで違います」と、幽霊は言った。「ひとりの人間が二人になって地上に住む……ドイツでいうドッペルゲンゲルのたぐいは、ちっとも違わない人間が二人あるのですから、もちろん、いろいろの面倒を生じるでしょうが、わたしの場合はまたそれとまるで相違しているのです。私はヒンクマン氏とここに同棲するのでなく、彼に代るべくここに控えているのですから、彼がそれを知った以上、どんなに怒るか知れますまい。あなたはそう思いませんか」

僕はすぐにうなずいた。

「それですから今日はあの人が出て行ったので、わたしも暫時（ざんじ）楽らくとしていられるというわけです」と、幽霊は語りつづけた。「そうして、あなたとこうして話すことのできる機会を得たのを、喜んでいるのです。わたしはたびたびこの部屋に来て、あなたの寝ているところを見ましたが、うっかり話しかけることが出来なかったのです。あなたが私と口をきいて、もしそれがヒンクマン氏に聞こえると、どうしてあなたが独り言をいっているのかとおもって、この部屋へうかがいに来る虞（おそ）れがありますから……」

「しかし、君の言うことは人に聞こえないのかね」と、僕は訊いた。

「聞こえません」と、相手は言った。「誰かが私の姿を見ることがあっても、誰もわたしの声を聞くことは出来ません。わたしの声は、わたしが話しかけている人だけに聞こえるので、ほかの人には聞こえません」

「それにしても、君はどうして僕のところへ話しに来たのかね」と、僕はまた訊いた。

「わたしも時どきには人と話してみたいのです。ことにあなたのように、自分の胸いっぱいに苦労があって、われわれのような者がお見舞い申しても驚く余地がないような人と話してみたかったのです。あなたも私に厚意を持ってくださるように、特におねがい申しておきます。なにしろヒンクマン氏に長生きをされると、わたしの位地（いち）ももう支え切れなくなりますから、現在大いに願っているのは、どこへか移転することです。それについて、あなたもお力を貸してくださるだろうと思っているのです」

「移転……」と、僕は思わず大きい声を出した。「それはどういうわけだね」

「それはこうです」と、相手は言った。「わたしはこれから誰かの幽霊になりにゆくのです。そうして、ほんとうに死んでしまった人の幽霊になりたいのです」

「そんなことはわけはあるまい」と、わたしは言った。「そんな機会はしばしばあるだろうに……」

「どうして、どうして……」と、私の相手は口早に言った。「あなたはわれわれ仲間にも競合（せりあ）いのあることをご存じないのですな。どこかに一つ空（あ）きができて、私がそこへ出かけようとしても、その幽霊には俺がなるという申し込みがたくさんあって困るのです」

「そういうことになっているとは知らなかった」と、僕もそれに対して大いに興味を感じてきた。「そうすると、そこには規則正しい組織があるとか、あるいは先口から順じゅんにゆくというわけだね。まあ、早くいえば、理髪店へいった客が順じゅんに頭を刈ってもらうというような理屈で……」

「いや、どうして、それがそうはいかないので……。われわれの仲間には果てしもなく待たされている者があります。もしここにいい幽霊の株があるといえば、いつでも大変な競争が起こる。また、つまらない株であると、誰も振り向いても見ない。そういうわけですから、相当の空き株があると知ったら、大急ぎでそこへ乗り込んで、私が現在の窮境を逃がれる工夫をしなければなりません。それにはあなたが加勢してくださることが出来ると思います。もしなんどき、どこに幽霊の空き株ができるという見込みがあったら、まだ一般に知れ渡らないうちに、前もって私に知らせてください。あなたがちょっと報告してくだされば、わたしはすぐに移転の準備に取りかかります」

「それはどういう意味だね」と、僕は呶鳴（どな）った。「すると、君は僕に自殺でもしろというのか。さもなければ、君のために人殺しでもしろと言うのかね」

「いや、いや、そんなわけではありません」と、彼は陽気に笑った。「そこらには、たしかに多大の興味をもって注意されるべき恋人同士があります。そういう人たちが何かのことで意気銷沈したという場合には、まことにお誂え向きの幽霊の株ができるのです。といっても、何もあなたに関わることではありません。ただ、わたしがこうしてお話をしたのはあなたひとりですから、もし私の役に立つようなことがあったらば、早速お知らせを願いたいというだけのことです。その代りに、わたしの方でもあなたの恋愛事件については、喜んでご助力をするつもりです」

「君は僕の恋愛事件を知っているらしいね」と、僕は言った。

「オー、イエス」と、彼は少しく口をあいて言った。「私はここにいるのですからね。それを知らないわけにはゆきませんよ」

マデライン嬢と僕との関係を幽霊に見張っていられて、二人が立ち木のあいだなどを愉快に散歩している時にも彼についていられるのかと思うと、それは気味のよくないことであった。とはいえ、彼は幽霊としてはすこぶる例外に属すべきもので、かれらの仲間に対して普通にわれわれがいだくような反感を持つことも出来なかった。

「もう行かなければなりません」と、幽霊は起ちあがりながら言った。「明晩もどこかでお目にかかりましょう。そうして、あなたがわたしに加勢する……わたしがあなたに加勢する……この約束を忘れないでください」

この会見について何事をかマデライン嬢に話したものかどうかと、僕もいったんは迷ったが、またすぐに思い直して、この問題については沈黙を守らなければならないと覚（さと）った。もしこの家のうちに幽霊がいるなどということを知ったらば、彼女はおそらく即刻にここを立ち去ってしまうであろう。このことについてはなんにも言わないで、僕も挙動を慎んでいれば、彼女に疑われる気遣いはたしかにない。僕はヒンクマン氏が初めに言ったよりも、一日でもいいから遅く帰って来るようにと念じていた。そうすれば、僕は落ち着いてわれわれが将来の目的についてマデライン嬢に相談することが出来ると思っていたのであるが、今やそんな話をする機会がほんとうに与えられたとしても、それをどう利用していいか、僕にはその準備が整っていないのであった。もし何か言い出して、彼女にそれを拒絶されたらば、僕はいったいどうなるであろうか。

いずれにしても、僕が彼女にいっさいを打ち明けようとするならば、今がその時節であると思われた。マデライン嬢も僕の内心に浮かんでいる情緒を大抵は察しているべきはずであって、彼女自身も何とかそれを解決してしまいたいと望んでいるのも無理からぬことであろう。しかも、僕は暗闇のなかを無鉄砲に歩き出すようには感じていなかった。もし僕が汝（なんじ）を我（われ）にあたえよと申し出すことを、彼女も内（ない）ない待ち受けているならば、彼女はあらかじめそれを承諾しそうな気色を示すべきはずである。もしまた、そんな雅量を見せそうもないと認めたらば、僕はなんにも言わないで、いっさいをそのままに保留しておくほうがむしろ優しであろうと思った。

　その晩、僕はマデライン嬢と共に、月の明かるい廊下に腰をかけていた。それは午後十時に近いころで、僕はいつでも夜食後には自分の感情の告白をなすべき準備行動を試みていたのである。僕は積極的にそれを実行しようとは思わない。適当のところで徐じょに到達して、いよいよ前途に光明を認めたという時、ここに初めて真情を吐露しようと考えていたのである。

　彼女も自分の位地を諒解しているらしく見えた。少なくとも僕から見れば、僕ももうそろそろ打ち明けてもいいところまで近づいてきて、彼女もそれを望んでいるらしく想像された。なにしろ今は僕が一生涯における重大の危機で、いったんそれを口へ出したが最後、永久に幸福であるか、あるいは永久に悲惨であるかが決定するのである。しかも僕が黙っていれば、彼女は容易にそういう機会をあたえてくれないであろうと信じられる、いろいろの理由があった。

　こうして、マデライン嬢と一緒に腰をかけて、少しばかり話などをしていながら、僕はこの重大事件についてはなはだ思い悩んでいる時、ふと見あげると、われわれより十二尺とは距れていないところに、かの幽霊の姿が見えた。

幽霊は廊下の欄干に腰をおろして片足をあげ、柱に背中を寄せかけて片足をぶらりと垂れていた。僕はマデライン嬢と向かいあっているので、彼は彼女のうしろ、僕のほとんど前に現われているのであった。僕はそれを見て、ひどく驚いたような様子をしめしたに相違なかったが、幸いに彼女は庭の景色をながめていたので気がつかないらしかった。

幽霊は今夜どこかで僕に逢おうと言ったが、まさかにマデライン嬢と一緒にいるところへ出て来ようとは思わなかったのである。もしも彼女が自分の叔父の幽霊を見つけたとしたら、僕はなんと言ってその事情を説明していいか分からない。僕は別に声は立てなかったが、その困惑の様子を幽霊も明らかに認めたのである。

「ご心配なさることはありません」と、彼は言った。「私がここにいても、ご婦人に見つけられることはありません。また、わたしが直接にご婦人に話しかけなければ、何もきこえるはずはありません。もちろん、話しかけたりする気遣いもありません」

それを聞いて、僕も安心したような顔をしたろうと思われた。幽霊はつづけて言った。

「それですからお困りになることはありません。しかし、私の見るところでは、あなたの遣り口はどうも巧くないようですね。私ならば、もう猶予なしに言い出してしまいますがね。こんないい機会は二度とありませんぜ。躊躇していてはいけませんよ。私の鑑定では、相手の婦人もよろこんであなたの言うことに耳を傾けますよ。婦人のほうでも、ふだんからそうあれかしと待ちかまえているのですからね。あるじのヒンクマン氏は今度ぎりで当分どこへも出かけそうもありませんぜ。たしかにこの夏は出かけませんよ。もちろん、私があなたの立場にあれば、ヒンクマン氏がどこにいようとも、最初からその人の姪にラヴしたりなんぞはしませんがね。マデライン嬢にそんなことを申し込んだ奴があると知れたら、あの人は大立腹で、それは、それは、大変なことになりましょうよ」

それは僕も同感であった。

「まったくそれを思うと、実にやり切れない。彼のことを考えると……」と、僕は思わず大きい声を出した。

「え、誰のことを考えると……」と、マデライン嬢は急に向き直って訊いた。

いや、どうも飛んだことになった。幽霊の長ばなしはマデライン嬢の注意をひかなかったが、僕はわれを忘れて大きい声を出したので、それははっきりと彼女に聞こえてしまったのである。それに対して何とか早く説明しなければならないが、もちろん、その人が彼女の大事な叔父さんであるとは言われないので、僕は急に思いつきの名を言った。

「え、ヴィラー君のことですよ」

思いつきといっても、これは極めて正当の陳述であった。ヴィラー君というのは一個の紳士で、彼もマデライン嬢に対して大いに注目しているらしいので、僕はそれを考えるたびに、彼に対して忍ぶあたわざる不快を感じていたのであった。

「あなた、ヴィラーさんのことをそんなふうに言っては悪うござんすわ」と、彼女は言った。「あのかたは若いに似合わず、非常によく教育されて、物がよく分かって、へいぜいの態度も快活な人ですわ。あのかたはこの秋、立法官に選挙されたと言っていらっしゃるのですが、私も適任者だと思っていますのよ。あのかたならばきっとようござんすわ。言うべきことがあれば、どういう時にどう言うかということを、あのかたはちゃんとご存じですもの」

彼女は別に腹を立てたという様子も見せずに、極めておだやかに、極めて自然にそれを話した。もしマデライン嬢が僕に厚意を有するならば、僕が自分の競争者に対して不折り合いの態度を示したからといって、それについて悪感をいだかないはずである。彼女の言葉全体を案ずれば、僕にもたいてい分かるだけのヒントを得た。もしヴィラー君が僕の現在の地位にあれば、すぐに自分の思うことを言い出すに相違あるまいと思った。

「なるほど、あの人に対してそんな考えを持つのは悪いかもしれませんが……」と、僕は言った。「しかしどうも僕には我慢が出来ないのですよ」

彼女は僕を咎めようともせず、その後はいよいよ落ち着いているように見えた。しかし僕は、はなはだ苦しんだ。僕は自分の心のうちに絶えずヴィラー君のことを考えていないということを、ここで承認したくなかったからである。

「そんなふうに大きい声で言わないほうがいいでしょう」と、幽霊は言った。「そうでないと、あなた自身が困るようなことになりますよ。私はあなたのために、諸事好都合に運ぶことを望んでいるのです。そうすれば、あなたも進んで私を助けてくださるようになるでしょう。ことに私があなたのご助力をいたすような機会をつくれば……」

彼が僕を助けてくれるのは、この際ここを早く立ち去ってくれるに越したことはないと、僕は彼に話して聞かせたかったのである。若い女と恋をしようというのに、そばの欄干には幽霊がいる――しかもその幽霊は僕の最も恐れている叔父の幽霊であることを考えると、場所も場所、時も時、僕はふるえあがらざるを得ないのである。ここで事件を進行させようとするのは、たとい不可能といわないまでも、すこぶる困難であるといわなければならない。しかも僕は自分のこころを相手の幽霊に覚らせるにとどまって、それを口へ出して言うわけにはゆかないのである。

幽霊はつづけて言った。

「あなたはたぶん、わたしの利益になるようなことをお聞き込みにならないのだろうと察していますす。私もそうだと危ぶんでいたのです。しかし何かお話しくださるようなことがあるならば、あなたが一人になるまで待っていてもよろしいのです。私は今夜あなたの部屋へおたずね申してもよろしい。さもなければ、この婦人の立ち去るまでここに待っていてもよろしいのですが……」

「ここに待っているには及ばない」と、僕は言った。「おまえになんにも言うようなことはないのだ」

マデライン嬢はおどろいて飛びあがった。その顔は赧くなって、その眼は燃えるように輝いた。

「ここに待っている……」と、彼女は叫んだ。「私が何を待っていると思っていらっしゃるの。わたしになんにも言うことはない……。まったくそうでしょう。わたしにお話しなさるようなことはなんにもないはずですもの」

「マデラインさん」と、僕は彼女のほうへ進み寄りながら呶鳴った。「まあ、わたしの言うことを聴いてください」

しかも彼女はもういってしまったのである。こうなると、僕にとっては世界の破滅である。僕は幽霊の方へあらあらしく振り向いた。

「こん畜生！　貴様はいっさいをぶちこわしてしまったのだ。貴様はおれの一生を暗闇にしてしまったのだ。貴様がなければ……」

ここまで言って、僕の声は弱ってしまった。僕はもう言うことができなくなったのである。

「あなたは私をお責めなさるが、私が悪いのではありませんよ」と、幽霊は言った。「私はあなたを励まして、あなたを助けてあげようと思っていたのです。ところが、あなた自身が馬鹿なことをして、こんな失策を招いてしまったのです。しかし失望することはありません。こんな失策はまたどうにでも申しわけができます。まあ、気を強くお持ちなさい。さようなら」

彼は石鹼の泡の溶けるがごとくに、欄干から消え失せてしまった。

僕が思わず口走ったことを説明するのは、不可能であった。その晩はおそくまで起きていて、繰り返し繰り返してそのことを考え明かしたのち、僕は事実の真相をマデライン嬢に打ち明けないことに決心した。彼女の叔父の幽霊がここの家に取り憑いていることを彼女に知らせるよりも、自分が一生ひとりで苦しんでいるほうがましであると、僕は考えた。ヒンクマン氏は留守である。そこへ彼の幽霊が出たということになれば、彼女は叔父が死なないとは信じられまい。彼女も驚いて死ぬであろう。僕の胸にはいかなる手疵をこうむってもいいから、このことはけっして彼女に打ち明けまいと思った。

次の日はあまり涼しくもなく、あまり暖かくもなく、よい日和であった。そよ吹く風もやわらかで、自然はほほえむようにもみえた。しかも今日はマデライン嬢と一緒に散歩するでもなく、馬に乗るでもなかった。彼女は一日働いているらしく、僕はちょっとその姿を見ただけであった。食事の時にわれわれは顔を合わせたが、彼女はしとやかであった。しかも静かで、控え目がちであった。僕はゆうべ彼女に対してはなはだ乱暴であったが、僕の言葉の意味はよく分かっていないので、彼女はそれをたしかめようとしているに相違なかった。それは彼女として無理もないことで、ゆうべの僕の顔色だけでは、言葉の意味はわかるまい。僕は伏目になって凋れかえって、ほんの少しばかり口をきいただけであったが、僕の窮厄の暗黒なる地平線を横断する光明の一線は、彼女がつとめて平静をよそおいながら、おのずから楽しまざる気色のあらわれていることであった。

月の明かるい廊下もその夜は空明きであった。しかし僕は家のまわりをうろつき歩いているうちに、マデライン嬢がひとりで図書室にいるのを見つけた。彼女は書物を読んでいたので、僕はそこへはいって行って、そばの椅子に腰をおろした。僕はたといじゅうぶんでなくとも、ある程度まではゆうべの行動について弁明を試みておかなければなるまいと思った。そこで、ゆうべ僕が用いた言葉に対して、僕が弁解すこぶるつとめているのを、彼女は静かに聴きすましていた。

「あなたがどんなつもりでおっしゃっても、私はなんとも思っていやあしませんわ」と、彼女は言った。「けれども、あなたもあんまり乱暴ですわ」

僕はその乱暴の意思を熱心に否認した。そうして、僕が彼女に対して乱暴を働くはずがないということを、彼女もたしかに諒解したであろうと思われるほどの、やさしく温かい言葉で話した。僕はそれについて懇こんと説明して、そこにある邪魔がなければ、彼女が万事を諒解し得るように、僕がもっと明白に話すことが出来るのであるということを、彼女が信用してくれるように懇願した。

彼女はしばらく黙っていたが、やがて以前よりもやさしく思われるように言った。

「とにかく、その邪魔というのは私の叔父に関係したことですか」

「そうです」と、僕はすこし躊躇（ちゅうちょ）したのちに答えた。「それはある程度まであの人に関係しているのです」

彼女はそれに対してなんにも返事をしなかった。そうして、自分の書物にむかっていたが、それを読んでいるのではないらしかった。その顔色から察しると、彼女は僕に対してやや打ち解けてきたらしい。彼女も僕が考えるとおなじように自分の叔父を見ていて、それが僕の話の邪魔になったとすれば——まったく邪魔になるようないろいろの事情があるのである——僕はすこぶる困難の立場にあるもので、それがために言葉が多少粗暴になるのも、挙動が多少調子外れになるのも、まあ恕すべきであると考えたであろう。僕もまた、僕の一部的説明の熱情が相当の効果をもたらしたのを知って、ここで猶予なしにわが思うことを打ち明けたほうが、自分のために好都合であろうと考えた。たとい彼女が僕の申し込みを受け入れようが受け入れまいが、彼女と僕との友情関係が前日よりも悪化しようとは思われない。僕が自分の恋を語ったならば、彼女はゆうべの僕がばかばかしく呶鳴ったことなどを忘れてくれそうである。その顔色が大いに僕の勇気を振るい起こさせた。

僕は自分の椅子を少しく彼女に近寄せた。そのとき彼女のうしろの入り口から幽霊がこの部屋へ突入して来た。もちろん、ドアがあいたわけでもなく、なんの物音をさせたわけでもないが、僕はそれを突入というのほかはなかった。彼は非常に気がたかぶっていて、その頭の上に両腕をふりまわしていた。それを見た一刹那、僕はうんざりした。出しゃばり者の幽霊めが入り込んで来たので、すべての希望も空に帰した。あいつがここにいる間は、僕は何も言うことは出来ないのである。

「ご存じですか」と、幽霊は呶鳴った。「ジョン・ヒンクマン氏があすこの丘をのぼって来るのを……。もう十五分間ののちにはここへ帰って来ますぜ。あなたが色女をこしらえるために何かやっているなら、大急ぎでおやりなさい。しかし、私はそんなことを言いに来たのではありません。わたしは素敵滅法界の報道をもたらして来たのです。私もとうとう移転することになりましたよ。今から四十分ほどにもならない前に、ロシアのある貴族が虚無党に殺されたのですが、誰もまだ彼の死について幽霊の株のことを考えていないのです。わたしの友達が、そこへ私をはめ込んでくれたので、いよいよ移転することが出来たのです。あの大禁物のヒンクマン氏が丘を登って来る前に、わたしはもう立ち去ります。その瞬間から私は大嫌いの贋い者をやめにして、新しい位地を占めることになるのです。さあ、おいとま申します。とうとうある人間の本当の幽霊になることが出来て、私はどんなに嬉しいか、あなたにはとても想像がつきますまいよ」

「オー！」と、僕は起ちあがって、はなはだ不格好に両腕をひろげながら叫んだ。「私はあなたが私のものでありしことを天に祈ります！」

「私は今、あなたのものです」

マデライン嬢は眼にいっぱいの涙をたたえて、わたしを仰ぎながら言った。

牡丹燈記

瞿宗吉

瞿宗吉（く・そうきつ）

姓は瞿、名は佑、字は宗吉。中国の銭塘に生まる。明の太祖の洪武年間（一三六八～九八）、召されて臨安の教諭となり、後に周王府の長吏となる。才学をもって世に知られ、著書すこぶる多し。生年没年明らかならず。

元の末には天下大いに乱れて、一時は群雄割拠の時代を現出したが、そのうちで方谷孫というのは浙東の地方を占領していた。彼は毎年正月十五日から五日のあいだは、明州府の城内に元宵（陰暦正月十五日の夜）燈をかけつらねて、諸人に見物を許すことにしていたので、その宵よいの賑わいはひと通りでなかった。

元の至正二十年の正月である。鎮明嶺の下に住んでいる喬生という男は、年がまだ若いのにさきごろその妻を喪って、男やもめの心さびしく、この元宵の夜にも燈籠見物に出る気もなく、わが家の門にたたずんで、むなしく往来の人びとを見送っているばかりであった。十五日の夜も三更（真夜中の十二時から二時間）を過ぎて、人影もようやく稀になったころ、髪を両輪に結んだ召使ふうの小女が双頭の牡丹燈をかかげてさきに立ち、ひとりの女を案内して来た。女は年のころ十七、八で翠袖紅裙の衣を着て、いかにも柔婉な姿で、西をさして徐かに過ぎ去った。

喬生は月のひかりで窺うと、女はまことに国色（国内随一の美人）ともいうべき美人であるので、神魂飄蕩、われにもあらず浮かれ出して、そのあとを追ってゆくと、女もやがてそれを覚ったらしく、振り返ってほほえんだ。

「別にお約束をしたわけでもないのに、ここでお目にかかるとは、何かのご縁でございましょうね」

それを機に、喬生は走り寄って丁寧に敬礼した。

「わたしの住居はすぐそこです。ちょっとお立ち寄りくださいますまいか」

女は別に拒む色もなく、小女を呼び返して、喬生の家へ戻って来た。初対面ながら甚だうちとけて、女は自分の身の上を明かした。

「わたくしの姓は符、字は麗卿、名は淑芳と申しまして、かつて奉化州の判（高官が低い官を兼ねる）を勤めておりました者の娘でございますが、父は先年この世を去りまして、家も次第に衰え、ほかに兄弟もなく、親戚も少ないので、この金蓮とただふたりで月湖の西に仮住居をいたしております」

今夜は泊まってゆけと勧めると、女をそれをも拒まないで、ついにその一夜を喬生の家に明かすことになった。それらのことはくわしく言うまでもない、「はなはだ歓愛を極む」と書いてある。夜のあけるころ、女はいったん別れて立ち去ったが、日が暮れると再び来た。金蓮という小女がいつも牡丹燈をかかげて案内して来るのであった。

こういうことが半月ほども続くうちに、喬生のとなりに住む老翁が少しく疑いを起こして、壁に小さい穴をあけてそっと覗いていると、紅や白粉を塗った一つの骸骨が喬生と並んで、ともしびの下に睦まじそうにささやいていた。それを見て大いに驚いて、老翁は翌朝すぐに喬生を詮議すると、最初は堅く秘して言わなかったが、老翁に嚇されてさすがに薄気味悪くなったと見えて、彼はいっさいの秘密を残らず白状した。

「それでは念のために調べてみなさい」と、老翁は注意した。「あの女たちが月湖の西に住んでいるというならば、そこへ行ってみれば正体がわかるだろう」

なるほどそうだと思って、喬生は早速に月湖の西へたずねて行って、長い堤の上、高い橋のあたりを隈なく探し歩いたが、それらしい住み家も見当たらなかった。土地の者にも訊き、往来の人にも尋ねたが、誰も知らないというのである。そのうちに日も暮れかかって来たので、そこにある湖心寺という古寺にはいってしばらく休むことにして、東の廊下をあるき、さらに西の廊下をさまよっていると、その西廊のはずれに薄暗い室があって、そこに一つの旅棺が置いてあった。旅棺というのは、旅さきで死んだ人を棺に蔵めたままで、どこかの寺中にあずけておいて、ある時期を待って故郷へ持ち帰って、初めて葬を営むのである。したがって、この旅棺について古来いろいろの怪談が伝えられている。

喬生は何ごころなくその旅棺をみると、その上に白い紙が貼ってあって「故奉化州判符女、麗卿之柩」としるし、その柩の前には見おぼえのある双頭の牡丹燈をかけ、またその燈下には人形の侍女が立っていて、人形の背中には金蓮の二字が書いてあった。それを見ると、彼はにわかにぞっとして、あわててそこを逃げ出して、あとをも見ずに我が家へ帰ったが、今夜もまた来るかと思うと、とても落ちついてはいられないので、その夜はとなりの老翁の家へ泊めてもらって、顫えながらに一夜をあかした。

「ただ怖れていてもしようがない」と、老翁はまた教えた。「玄妙観の魏法師は故の開府の王真人の弟子で、おまじないでは当今第一と称せられているから、お前も早くいって頼むがよかろう」

その明くる朝、喬生はすぐに玄妙観へたずねてゆくと、法師はその顔をひと目みておどろいた。

「おまえの顔には妖気が満ちている。いったい、ここへ何しに来たのだ」

喬生は、その座下に拝して、かの牡丹燈の一条を訴えると、法師は二枚の朱い符をくれて、その一枚は門に貼れ、他の一枚は寝台に貼れ。そうして、今後ふたたび湖心寺のあたりへ近寄るなと言い聞かせた。

家へ帰って、その通りに朱符を貼っておくと、果たしてその後は牡丹燈のかげも見えなくなった。それからひと月あまりの後、喬生は袞繡橋のほとりに住む友達の家をたずねて、そこで酒を飲んで帰る途中、酔ったまぎれに魏法師の戒めを忘れて、湖心寺の前を通りかかると、寺の門前には小女の金蓮が立っていた。

「お嬢さまが久しく待っておいでになります。あなたもずいぶん薄情なかたでございますね」

否応いわさずに彼を寺中へ引き入れて、西廊の薄暗い一室へ連れ込むと、そこには麗卿が待ち受けていて、これも男の無情を責めた。

「あなたとわたくしとは素からの知り合いというのではなく、途中でふとゆき逢ったばかりですが、あなたの厚い情けに感じて、わたくしの身をも心をも許して、毎晩かかさずに通いつめ、出来るかぎりの真実を竭しておりましたのに、あなたは怪しい偽道士のいうことを真にうけて、にわかにわたくしを疑って、これぎりに縁を切ろうとなさるとは、あまりに薄情なされかたで、わたくしは深くあなたを恨んでおります。こうして再びお目にかかったからは、あなたをこのまま帰すことはなりません」

女は男の手を握って、柩の前へゆくかと思うと、柩の蓋はおのずと開いて、二人のすがたはたちまちに隠された。蓋はもとの通りにとじられて、喬生は柩のなかで死んでしまったのである。

となりの老翁は喬生の帰らないのを怪しんで、遠近をたずね廻った末に、もしやと思って湖心寺へ来てみると、見おぼえのある喬生の着物の裾がかの柩の外に少しくあらわれているので、いよいよ驚いてその次第を寺僧に訴え、早速にかの柩をあけて検めると、喬生は女の亡骸と折り重なっていて、女の顔はさながら生けるがごとくに見えた。僧は嘆息して言った。

「これは奉化州判の符という人の娘です。十七歳のときに死んだので、かりにその遺骸をこの寺にあずけたままで、一家は北の方へおもむきましたが、その後なんの消息もありません。それが十二年後の今日に至って、こんな不思議を見せようとは、まことに思いも寄らないことでした」

なにしろそのままにしてはおかれないというので、男と女の死骸を蔵めたままで、その柩を寺の西門の外に埋めると、その後にまた一つの怪異を生じた。

陰った日や暗い夜に、かの喬生と麗卿とが手をひかれ、一人の小女が牡丹燈をかかげて先に立ってゆくのをしばしば見ることがあって、それに出逢ったものは重い病気にかかって、悪寒がする、熱が出るという始末。かれらの墓にむかって法事を営み、肉と酒とを供えて祭ればよし、さもなければ命を亡うことにもなるので、土地の人びとは大いに懼れ、争ってかの玄妙観へかけつけて、何とかそれを祓い鎮めてくれるように嘆願すると、魏法師は言った。

「わたしのまじないは未然に防ぐにとどまる。もうこうなっては、わたしの力の及ぶ限りでない。聞くところによると、四明山の頂上に鉄冠道人という人があって、鬼神を鎮める法術を能くするというから、それをたずねて頼んでみるがよかろうと思う」

そこで、大勢は誘いあわせて四明山へ登ることになった。藤かずらを攀じ、渓を越えて、ようやく絶頂までたどりつくと、果たしてそこに一つの草庵があって、道人は机に倚り、童子は鶴にたわむれていた。

大勢は庵の前に拝して、その願意を申し述べると、道人は頭をふって、わたしは山林の隠士で、今をも知れない老人である。そんな怪異を鎮めるような奇術を知ろうはずがない。おまえがたは何かの聞き違えで、わたしを買いかぶっているのであろうと、堅くことわった。いや、聞き違えでない、玄妙観の魏法師の指図であると答えると、道人はさてはとうなずいた。

「わたしはもう六十年も山を下ったことがないのに、あいつがとんだおしゃべりをしたので、また浮世へ引き出されるのか」

彼は童子を連れて下山して来た。老人に似合わぬ足の軽さで、ただちに湖心寺の西門外にゆき着いて、そこに方丈の壇をむすび、何かの符を書いてそれを焼くと、たちまちに符の使い五、六人、いずれも身の丈け一丈余にして、黄巾をいただき、金甲を着け、彫のある戈をたずさえ、壇の下に突っ立って師の命を待っていると、道人はおごそかに言い渡した。

「この頃ここらに妖邪の祟りがあるのを、おまえたちも知らぬはずはあるまい。早くここへ駆り出して来い」

かれらはうけたまわって立ち去ったが、やがて喬生と麗卿と金蓮の三人に手枷首枷をかけて引っ立てて来た。

かれらはさらに道人の指図にしたがって、鞭や笞でさんざんに打ちつづけたので、三人は総身に血をながして苦しみ叫んだ。その苛責が終わったのちに、道人は三人に筆と紙をあたえて服罪の口供を書かせ、更に大きい筆を執ってみずからその判決を書いた。その文章はすこぶる長いものであるが、要するにかれら三人は世を惑わし、民を誣い、条（教えの個条）に違い、法を犯した罪によって、かの牡丹燈を焼き捨てて、かれらを九泉の獄屋へ送るというのであった。急急如律令、もう寸刻の容赦もない。この判決をうけた三人は、今さら嘆き悲しみながら、進まぬ足を追い立てられて、泣く泣くも地獄へ送られて行った。それを見送って、道人はすぐに山へ帰った。

あくる日、大勢がその礼を述べるために再び登山すると、ただ草庵が残っているばかりで、道人の姿はもう見えなかった。さらに玄妙観をたずねて、道人のゆくえを問いただそうとすると、魏法師はいつの間にか唖(おし)になって、口をきくことが出来なくなっていた。

解説

種村季弘

岡本綺堂といえば『半七捕物帳』とくるのが相場ですが、もうひとつ、戦前の家庭に育った人間ならだれでもお馴染みのものに『世界怪談名作集』がありました。

着物の袖（いまならポケット）のなかに手軽にいれて持ち運べる本という意味でしょうか、袖珍本（しゅうちんぼん）という本の判型があります。いかにも明治大正の書生さんたちが飛白（かすり）の袖に忍ばせて読むのに似つかわしい、その名もなつかしいポケット本。

その袖珍本で昭和四年に改造社から『世界大衆文学全集』が出ました。なかの一冊が『世界怪談名作集』。ウジェーヌ・シュウ『巴里の秘密』なんかとともに、当時の少年たちがぞくぞくしながら読み耽った、秘密っぽくもおそろしい、それでいてハイカラな異国趣味もみたしてくれそうな、とっておきの読み物でした。

そういうわけで昭和初年生れにはじつになつかしい本なので、私なども戦後の古本屋で全集端本の『世界怪談名作集』にお目にかかったときには、大袈裟にいえば生き別れした肉親に再会したような思いがしたほどです。モーパッサンの「幽霊」、ああこれはこわかったなあ。はじめて読んだ晩、がたがたふるえながら長い廊下をつんのめるようにはしって便所に入ると、なにかが首筋のところをすーっとなでてゆくではありませんか。ぎゃ、た、た、たすけてーッ。

クラウフォード「上床」もこわかった。主人公が船長と一緒に上床の毛布に手を突っ込んで、なんだか得体のしれないぐにゃぐにゃしたものに触ってしまう。それが猛烈な勢いでとびかかってきて、船長にまでしがみつく。後年、リドリー・スコット監督の映画『エーリアン』で同じようなシーンにお目にかかって思わずギャッと声をあげてしまいました。これはあきらかに「上床」の例の場面の後遺症で、よくかたまっていない古傷の上に生傷をつけてしまったような、二重の痛みが堪えるに堪え難かったのだと思います。

しかしなんといっても、まだ皮膚のやわらかい子どもの頃の、そもそもの読みはじめのこわさはまた格別でした。こわい、こわい、こわいよう。もう二度と読みたくなんかない。それでいてどうしようもなく、また手が伸びていきます。なんだろう、どうなっているんだろう、このこわいもの見たさは。

さて、閑話休題。ここらで本題に戻ります。

岡本綺堂が江戸考証家としての蘊蓄を活かして『半七捕物帳』や『三浦老人昔話』を書

いたのは周知のことですが、岡本綺堂読物選集（同選集8「飜訳編下巻」）の解説者、岡本経一氏も言うように、同時に得意の英語を駆使して東西の怪奇小説の古典にひろく目を通していました。それかあらぬか『世界怪談名作集』もさすがと思わせる名編集ぶりです。当時の水準で、というより今この種のアンソロジーを編んでも、「怪談名作」と銘打つからにはこれ以上の目次は望めない、とさえいえそうです。

一種の新機軸さえとりこまれています。たとえばデフォーの「ヴィール夫人の亡霊」。これまで大方の怪談は、ゴシック小説の系譜を踏まえて、おどろおどろしい夜と闇の世界を舞台にくりひろげられるものと考えられていました。しかし、エジソンによる電灯の発明とともにこの怪談の常套句（クリシェー）はあえなく崩れて、夜の書割りとともに怪談そのものまでもが破産したというのが、二〇世紀初頭以来の常識です。デフォーのこの作品は、ヘンリー・ジェイムズの『ねじの回転』とともに昼日中（ひるひなか）の幽霊をあつかっているために、電気の攻勢をたくみにかわして怪談の衰勢を蘇らせるダーク・ホースとして、近年とみに再評価の機運がめざましいのです。欧米ではたとえばエドマンド・ウィルソンなどが「ヴィール夫人の亡霊」を高く評価しましたが、わが綺堂は二〇年代末にはやくも着眼点よろしくこの評価を先取りした、とは申せますまいか。

「幽霊の移転」（ストックトン）のとぼけたユーモアも、並みのアンソロジーではお目にかかれそうにない逸品でしょう。夜といわず白昼といわずずうずうしく出現する、この館の主人そっくりの〈なりそこねの幽霊〉はまことにユニークで、思わず肩を叩いて祝福してやりたくなるほどです。そういえばわが吉田健一に、これと似た味の「化けもの屋敷」というめっぽう愉快な怪談があるのをご存知ですか。

幽霊屋敷といえば、ホフマンの「廃宅」も、リットンの「貸家」も、それにモーパッサンの「幽霊」だって、一種の幽霊屋敷物です。建物、船、器物、のようなものが古くなると化ける。化けるのはなにも人間ばかりとは限らないのです。

ホフマンの「廃宅」は、数人の話者が集まってそれぞれが持ち寄りの綺談を語りあうという形式の長編連作『ゼラピオン同盟員』のなかの一挿話ですが、こういう座談形式の怪談はわが国にもありました。江戸時代に流行した「百物語」。一人ずつとびきりこわい怪談のとっておきを披露しながら蠟燭を一本一本消して行くという、思うだに背筋の寒くなるような怪談会です。

綺堂は、自分でも百物語の形式を踏むこの種の怪談集をいくつか作っています。さしずめ『青蛙堂鬼談』、『支那怪奇小説集』がそれですが、これらの集を編むとき、あるいは綺堂の念頭にホフマンの『ゼラピオン同盟員』のことがあったかもしれません。

大きな連鎖のなかの一つの輪として入れ子のように物語を構成する、この百物語風の構造は、物語そのものの構成にも及んでいます。ほとんどどの小説も、ここでは話中話として編まれています。自分が直接体験した出来事ではなく、出来事を直接体験した人の話を受けて、話者が語っているわけです。どうしてそんな回りくどいことをするのか。

たとえていえば放射能物質を手づかみにする危険を避けて、「鉄の手」を使うようなものだと思えばいいでしょう。怪異にじかに手を触れれば、そこから汚染を受けて、当事者そのものが怪異と同化してしまいます。一口にいえば、気が狂うか死ぬかしてしまいます。死や狂気の世界に一度立ち入った者は、往きて還らず、いったきりになってしまうので、みずからの口からあの世の消息をこの世に報告することはできません。そこで傍観的な第三者にあの世からの報告を託さざるを得ません。事柄がおそろしければおそろしいほど包装は二重三重に厳重でなければならず、だからこそ話中話がまるで迷宮のように十重二十重の入れ子をなしていて、それがまたいかにもこわいからそうしているように思えて一層こわくなる。

では何のためのこれほど厳重な包装であり、防壁なのでしょう。これは先にも申しました。向こう側にあって立ち入ることのできない異界、死や狂気の世界、日常の秩序の論理を超えた世界、のための防壁です。怪談では、この日常の秩序を超えた何者かが囲みを破って日常世界に雪崩れこんでくる、そのあろうとは思えなかった瞬間に恐怖が走るのです。

とすれば恐怖の効果をいやが上にも完璧にするためにも、まず日常の秩序のほうが堅固に組立てられていなければなりません。えてして主人公に、豪胆な常識人や明晰そのものの合理主義者（医者や科学者）が選ばれるのもそのためです。

壁が崩れる衝撃が劇的に鮮烈であるためには、まず壁そのものがやわであってはなりません。日常の秩序という壁、それは東洋であれば聖賢の道である儒教の論理であり、西洋ならキリスト教または科学的合理主義です。唐突ですが、ここらでようやく岡本綺堂独特の文体という話になります。

怪談の名手はいったいに、綺堂にせよ、幸田露伴にせよ、田中貢太郎にせよ、漢籍の教養が深い人に多いということがあります。ひとまず秩序をがっちりと作り上げ、同時に非合理の衝撃によってそれを壊すには、何よりも漢文脈の硬質の文体こそが見合っているからです。幕末の御家人の家に人となって、まず経書からはじめた教養歴のある綺堂のような人の身についた文体こそは怪談語りに相応しいことが、これでお分りかと思います。

ひょっとすると綺堂の文章は、いまの若い世代には読み馴れないかもしれません。しかし読み馴れなくても、古くはありません。「私はこんど、これを読み直してみて、その老巧円熟の訳筆に、あらためて三歎した。片カナの固有名詞がなかったら、まるで先生の自作の文章をよむのと、ちっとも変らない。」と上巻解題者木村毅も書いています。

ということは『半七捕物帳』の読者なら誰でも読めるということですから、読み馴れないもどうやら杞憂であって、若い読者もきっと、綺堂怪談はむろんのこと綺堂訳怪談の醍醐味をも、存分にじかに味わえることでしょう。つまりはハードな本格怪談の醍醐味を。モダン・ホラーのソフトと味わい分けるためにも、まずここらで本物の冷水を浴びておいてはいかがでしょうか。

本書は一九八七年に河出文庫として刊行され、その後二〇〇二年に新装版として刊行された『世界怪談名作集　下』を、改題・新装版として復刊したものです。作品中、今日では差別的表現と思われる語句が一部にございますが、発表当時の時代性を鑑み、そのままとしました。

世界怪談名作集
北極星号の船長ほか九篇

一九八七年　九 月　四 日　初版発行
二〇〇二年　六 月二〇日　新装版初版発行
二〇二三年一一月二〇日　新装版初版印刷
二〇二三年一一月三〇日　新装版初版発行

編　訳　岡本綺堂
発行者　小野寺優
発行所　株式会社河出書房新社
〒一五一-〇〇五一
東京都渋谷区千駄ヶ谷二-三二-二
電話〇三-三四〇四-八六一一（編集）
〇三-三四〇四-一二〇一（営業）
https://www.kawade.co.jp/

ロゴ・表紙デザイン　粟津潔
本文フォーマット　佐々木曉
印刷・製本　凸版印刷株式会社

Printed in Japan　ISBN978-4-309-46770-2

サンカの民を追って

岡本綺堂 他　41356-3

近代日本文学がテーマとした幻の漂泊民サンカをテーマとする小説のアンソロジー。田山花袋「帰国」、小栗風葉「世間師」、岡本綺堂「山の秘密」など珍しい珠玉の傑作十篇。

見た人の怪談集

岡本綺堂 他　41450-8

もっとも怖い話を収集。綺堂「停車場の少女」、八雲「日本海に沿うて」、橘外男「蒲団」、池田彌三郎「異説田中河内介」など全十五話。

日本怪談集　取り憑く霊

種村季弘〔編〕　41675-5

江戸川乱歩、芥川龍之介、三島由紀夫、藤沢周平、小松左京など、錚々たる作家たちの傑作短篇を収録。科学では説明のつかない、掛け値なしに怖い究極の怪談アンソロジーが、新装版として復刊！

日本怪談集　奇妙な場所

種村季弘〔編〕　41674-8

妻子の体が半分になって死んでしまう家、尻子玉を奪いあう河童……、日本文学史に残る怪談の中から新旧の傑作だけを選りすぐった怪談アンソロジーが、新装版として復刊！

実話怪談　でる場所

川奈まり子　41697-7

著者初めての実話怪談集の文庫化。実際に遭遇した場所も記述。個人の体験や、仕事仲間との体験など。分身もの、事故物件ものも充実。書くべくして書かれた全編恐怖の28話。

中国怪談集

中野美代子／武田雅哉〔編〕　46492-3

人肉食、ゾンビ、神童が書いた宇宙図鑑、中華マジックリアリズムの代表作、中国共産党の機関誌記事、そして『阿Q正伝』。怪談の概念を超越した、他に類を見ない圧倒的な奇書が遂に復刊！

東欧怪談集

沼野充義〔編〕 46724-5

西方的形式と東方的混沌の間に生まれた、未体験の怪奇幻想の世界へようこそ。チェコ、ハンガリー、マケドニア、ルーマニア……の各国の怪作を、原語から直訳。極上の文庫オリジナル・アンソロジー！

ロシア怪談集

沼野充義〔編〕 46701-6

急死した若い娘の祈禱を命じられた神学生。夜の教会に閉じ込められた彼の前で、死人が棺から立ち上がり……ゴーゴリ「ヴィイ」ほか、ドストエフスキー、チェーホフ、ナボコフら文豪たちが描く極限の恐怖。

ドイツ怪談集

種村季弘〔編〕 46713-9

窓辺に美女が立つ廃屋の秘密、死んだはずの男が歩き回る村、知らない男が写りこんだ家族写真、死の気配に覆われた宿屋……黒死病の記憶のいまだ失せぬドイツで紡がれた、暗黒と幻想の傑作怪談集。新装版。

フランス怪談集

日影丈吉〔編〕 46715-3

奇妙な風習のある村、不気味なヴィーナス像、死霊に憑かれた僧侶、ミイラを作る女たち……。フランスを代表する短編の名手たちの、怪奇とサスペンスに満ちた怪談を集めた、傑作豪華アンソロジー。

イギリス怪談集

由良君美〔編〕 46491-6

居住者が次々と死ぬ家、宿泊者が連続して身投げする蒸気船の客室、幽霊屋敷で見つかった化物の正体とは——。怪談の本場イギリスから傑作だけを選んだアンソロジーが新装版として復刊！

ラテンアメリカ怪談集

ホルヘ・ルイス・ボルヘス他　鼓直〔編〕 46452-7

巨匠ボルヘスをはじめ、コルタサル、パスなど、錚々たる作家たちが贈る恐ろしい15の短篇小説集。ラテンアメリカ特有の「幻想小説」を底流に、怪奇、魔術、宗教など強烈な個性が色濃く滲む作品集。

エドワード・ゴーリーが愛する12の怪談　憑かれた鏡

ディケンズ／ストーカー他　E・ゴーリー〔編〕　柴田元幸他〔訳〕　46374-2

典型的な幽霊屋敷ものから、悪趣味ギリギリの犯罪もの、秘術を上手く料理したミステリまで、奇才が選りすぐった怪奇小説アンソロジー。全収録作品に描き下ろし挿絵が付いた決定版！　解説＝濱中利信

恐怖の谷　シャーロック・ホームズ全集⑦

アーサー・コナン・ドイル　小林司／東山あかね〔訳〕　46617-0

ある日ホームズに届いた暗号の手紙。解読するも殺人は既に行われていた。奇妙な犯行現場と背後に潜む宿敵モリアーティ教授。そして事件は残酷な悪の歴史をひもといてゆく……。ホームズ物語最後の長編作。

緋色の習作　シャーロック・ホームズ全集①

アーサー・コナン・ドイル　小林司／東山あかね〔訳〕　46611-8

ホームズとワトスンが初めて出会い、ベイカー街での共同生活をはじめる記念すべき作品。詳細な注釈・解説に加え、初版本のイラストを全点復刻収録した決定版の名訳全集が待望の文庫化！

四つのサイン　シャーロック・ホームズ全集②

アーサー・コナン・ドイル　小林司／東山あかね〔訳〕　46612-5

ある日ホームズのもとへブロンドの若い婦人が依頼に訪れる。父の失踪、毎年のように送られる真珠の謎、そして突然届いた招待状とは？　死体の傍らに残された四つのサインをめぐり、追跡劇が幕をあける。

大いなる遺産　上

ディケンズ　佐々木徹〔訳〕　46359-9

テムズ河口の寒村で暮らす少年ピップは、未知の富豪から莫大な財産を約束され、紳士修業のためロンドンに旅立つ。巨匠ディケンズの自伝的要素もふまえた最高傑作。文庫オリジナルの新訳版。

大いなる遺産　下

ディケンズ　佐々木徹〔訳〕　46360-5

ロンドンの虚栄に満ちた生活に疲れた頃、ピップは未知の富豪との意外な面会を果たし、人生の真実に気づく。ユーモア、恋愛、友情、ミステリ……小説の魅力が凝縮されたディケンズの集大成。

著訳者名の後の数字はISBNコードです。頭に「978-4-309」を付け、お近くの書店にてご注文下さい。